われわれが語ることはあくまで**ひとつの説**である。信じがたい内容もあるだろうが、それを嘘だと否定することもまたできない。さあ、**「真実」を追う旅を始めよう。**

プロローグ

私たちはどこから来て、どこへ行くのか

われわれが教わった「歴史」は本当に正しいのか

人類はどのようにして生まれ、文明を築いてきたのか。
そしてこの先、人類はどこに向かうのか。

これらは、さまざまな知識人たちが解明に挑んできた、人類普遍の探究テーマだ。
そして、知識人たちが唱えた「説」が「歴史」となり、今日まで語られている。

本書でみなさんに問いたいのは、ただひとつ。

その「歴史」は、本当に正しいのだろうか？

歴史や物事の捉え方は変わりつづけている。

例えば、かつては宇宙の中心を地球だとする「天動説」が信じられていた。ところが、今や一部の陰謀論者を除いて天動説を信じている者はおらず、地動説が世界の常識になっている。

アヘン戦争で知られる「アヘン」は、今では国際統制下にある麻薬だが、20世紀までは痛み止めや睡眠薬、消化薬、咳止《せきど》め、さらには幸せな気分にもさせてくれる「いい薬」として重宝されていた。

超人的なエピソードや数々の功績が1400年以上語られ、旧1万円札や旧5000円札の肖像としても有名な聖徳太子に至っては、近年の教科書では「厩戸王《うまやどのおう》(聖徳太子)」とその名がカッコ付きで表記され、実在していたかどうかすら疑われている。

このように世間で常識とされていること、学校で習った教科書の歴史はいとも簡単に崩れ去る。

その時々の常識に反する言動は、非常識、異端、陰謀論などと罵られ、時に迫害されてきた。

しかし非常識、異端、陰謀論などと呼ばれ、軽視されるもののなかに「真実」は隠されているのだ。

都市伝説を追求して たどり着いた「真実の種」を配ろう

突然大きな疑問を投げかけてしまったが、本書の著者であるわれわれについて記しておこう。

われわれは、ウマヅラビデオという3人組ＹｏｕＴｕｂｅｒだ。

普段は都市伝説や怖い話を動画にまとめてＹｏｕＴｕｂｅで発表している。

なお、動画ではメンバー3人それぞれに役割があるが、本書では後に解説する「人類史を再構築する」という骨太なテーマを邪魔しないよう、あくまで「ウマヅラビデオ」というひとつの人格として執筆していることを断っておく。

さて、都市伝説ＹｏｕＴｕｂｅｒであるわれわれが、書籍という媒体を選んで何を伝えたいのか。

それは、**ＹｏｕＴｕｂｅでは話せない「歴史の可能性」である。**

ありがたいことに多くの視聴者に支えられて、今ではチャンネル登録者数は126万人を突破（2021年3月時点）し、国内外の報道・研究、霊能者や独自のルートからの情報を精査する日々のなかで、簡単には否定できない、人類の真の歴史が見えてきた。

われわれが本書で語る歴史の可能性とは、言うなれば追求するに値する人類が歩んできた「真実の種」だ。

あなたには、本書からその種を受け取り、芽吹かせ、「真実」へと育ててほしい。

「常識」とされる人類史を再構築しよう

そこで本書では、現在の社会で常識とされている「人類史」と区別するように「否定できない真実」をもとに人類史を再構築し、こう名付けた。

そう、それが――

シン・人類史。

本書にはわれわれが独自に集めた新しい真実《シンジツ》の人類史「シン・人類史」がまとめられている。

テクノロジーの発達、権力者の暴走、揺らぐ倫理観、人類の進化、迫る「移住計画」……。

今、人類は大きな選択を迫られている。

来《きた》るべきその日に、ただ心身ともに養分と成り下がるか、新しい世界に適応し、生存できるか――。

それは、「真実を追うか、追わないか」というたったひとつの行動で決まるのだ。

シン・人類史

ウマヅラビデオ

第1章

歴史が覆る!? 「人類の誕生」に隠された真実

第2章
中世、近世に根を張った現代まで続く闇と陰謀

第3章 あらかじめ仕組まれた3つの大戦と日本の弱体化

第4章

テクノロジーの進化、迫る支配へのカウントダウン

第 5 章

進化した人類はどこへ向かうのか

※本書で紹介する内容は、著者独自のルートからまとめた都市伝説であり、実際に起きていることとは限りません。内容には諸説ございます。

デザイン　三森健太（ＪＵＮＧＬＥ）
編集協力　こざきゆう
　　　　　株式会社ぷれす
ＤＴＰ　朝日メディアインターナショナル
編集　尾澤佑紀（サンマーク出版）
写真　アフロ／ピクスタ／
　　　Adobe Stock

すべてが繋がる！
これが人類史の真実だ

第0章

世界から争いがなくならないのは、人類にインプットされた思想が原因だった！

この章では、シン・人類史を語るうえで欠かせないこの世界の大原則を語っていこう。

第1章から始まる壮大な世界の歴史には、少なからずみなさんにとって衝撃を覚える事柄もあるだろう。

各項目の詳細は第1章以降の本編に譲るが、この章では、われわれがたどり着いた〝人類史の法則〟を披露したい。そして、ともに真実を探究する思考を手に入れてほしい。

「なぜ、人類は争いつづけるのか」と、だれしも一度は考えたことがあるのではないだろうか？　高度な文明が発達し、世界中を巻き込む二度の大戦を経てもなお、人類の争いがなくなることはない。

それはなぜか？——今日に至るまで続く争いの火種は、人類誕生の瞬間から続くものだからだ。

あまりにも根深く、そこには国際政治や地政学上の緻密な分析も、意味をなさないのである。

人類は２人の〝宇宙人〟の争いの果てに生まれた。

これは近年の科学研究による人類誕生の通説の否定、そして世界各地に残る神話、それらに通じる専門家から実際に聞いた見解を総合的に解釈したシン・人類史の結論だ。

２人の宇宙人の思想は正反対だった。

一方は、テクノロジーを重視し、破壊を好み、力を象徴する存在。

もう一方は、スピリチュアルを重視し、知識を象徴する存在。こうも思想が異なると相容《あいい》れようはずもない。

人類は、宗教や倫理、文化・教育の洗礼にあっても、それぞれの受け継いできた血統の影響を拭い去ることはできない。どちらかの血統が色濃く反映されれば、その思想に影響を受け、もう一方とは永遠に交わることはない。**平行線をたどりつづける宿命こそが、現代まで争いの火種を燻《くすぶ》らせている原因なのだ。**

そして、この世界には1954年から続く、世界のシナリオを裏で決定している〝ある会議〟が存在している。

その会議の開催地、そして招待者は、**一貫してテクノロジー重視の宇宙人の血統が支配する土地であり、その子孫なのだ。**

彼らが裏の権力を持つことによって、世界の歴史から、スピリチュアルな血統は、瀬戸際に追い込まれようとしている。

これは現代までの人類の歩み、そのすべてを繋《つな》ぐ最も重要な視点なのである!

「革命」が起こるとき、裏には必ず圧力と思惑がある

人類は今日に至るまで、幾度となく「革命」を起こしてきた。革命とは、シンプルにいえば「世の中がひっくり返る」こと。従来の価値観や常識すらも、人々の力によって根底から覆る〝事件〟だ。

それは権力や体制に対しての、人々の怒りや抵抗が原動力となり、望ましい世の中への渇望が巻き起こすもの。勝利の先に、理想の未来を思い描くもの——革命に突き進む民衆は、少なくともそう過信しているはずだ。

だが、**革命の背後には、人々の熱意を利用する者が潜んでいる**ことを忘れてはならない。

現代まで英雄としてその才覚を語り継がれる、皇帝ナポレオン。その革命の先導

者たる英雄の実態は、裏で糸引く者の傀儡《かいらい》でしかなかった！

人種問題にひとつの区切りをつけ〝よりよき時代〟への転換に見えた、アメリカ独立戦争。国を南北に分かつ戦いは、すべて〝シナリオ通り〟に動かされたものでしかなかった！

近代文明国への第一歩を踏み出した、激動の明治維新。旧体制を打ち破り、国を変えたいと願う者たちの情熱通りに進んだかのように見えるが、明治維新もまた、維新を志す彼らを利用する者が外から操作する、仕組まれた革命でしかなかった！

われわれが熱意を抱き、ひとつの夢や希望に勇往邁進《ゆうおうまいしん》するときこそ、その理想にかかりきりとなる。すなわち、隙があるのだ！　この隙を力ある者たちは常に狙っている。

そして勝利や達成という美酒に酔ううちに、思惑通りに動かされたことには気がつかないのだ。

この構図は、今もって変わっていない。

社会で何か大きなことが動こうとするとき、それが〝よきもの〟に見えたとしても、その裏にある者の存在に、われわれは注意しなければならない。

消えた超古代文明と崩壊に向かう現代文明には共通点があった

地球上では有史〝以前〟の超古代の時代から、文明が育まれていたという事実がある。そこには人類にとっての「神」＝宇宙人が介在している。

ところが、神の手をもってして発展してきたはずの文明は、幾度となく崩壊を繰り返している。それこそ、現代文明に匹敵、いや、それ以上の高度なレベルの発展を遂げていた文明もあったにもかかわらず、である。**崩壊こそ、まるで自然の摂理**とでもいうかのように——。

かつての超古代文明の痕跡は、わずかにだが残されている。

人類の文明発展への驕《おご》りに、まるで制裁として起きたかのような大洪水の痕跡……テクノロジーとスピリチュアルをともに象徴する者同士の地球環境を崩壊させかねないほどの激しい核戦争の痕跡……それらの果てに地上に刻まれた傷こそが、完全に拭うことができないエビデンスなのである。

そして、これは忘却の彼方にある過去ではない。**今現在も、崩壊への扉は開かれたままなのである。**

人類は摂理には抗《あらが》えない。宇宙には創造、維持、破壊の法則があり、**すべての存在は必ず〝破壊の時〟を迎えるからである。**今、地球ではクローン技術や間接的なカニバリズムなど、生命の倫理観を揺さぶるような技術が確実に発展している。倫理観だけでなく、地球環境すら犠牲にして、技術の発達を地球規模で進行させている。まさに文明の極に手をかけているのだ。

20世紀に起きたふたつの世界大戦は、この摂理に則《のっと》り、起こるべくして起きたかのように見える。

だが、実はそこには摂理に抗う何らかの〝意図〟が働いている。

果たしてこの先、われわれが担う文明は、どのような結末を迎えようとしているのだろうか。

確実に存在する
99%の人が逃れられない監視システム

現在、われわれの社会で欠かすことのできない道具のひとつに、スマートフォンがある。その普及率は日本だけで見ても、8割以上とのデータがある。

電話やメール、カメラ、インターネットへの接続、アプリを使えばさらに利用の幅は広がる。まさに無限の可能性を秘めた文明の利器といったところだ。

しかし、覚えておいてほしい――

便利な物ほど〝諸刃《もろは》の剣〟であることを！

ひとりひとりが所有し、常に肌身離さず携えているということは、管理側にはあなたが今、どこで何をしているのか〝行動が筒抜け〟ということでもある。

その行動記録を集積すれば、ビッグデータへの利用もできる。それだけなら、「便利な世の中のためなら、まぁ仕方がない」――そう思う人もいるかもしれない。

だが、そう呑気《のんき》に構えている場合ではない。**通話やメールの内容も、盗聴・把握されているのだ。その機能は、スマートフォンの電源を切っているときでも生きているという噂《うわさ》すらある。**

これは元NSA（アメリカ国家安全保障局）職員のエドワード・スノーデンが暴露し、世界的にも問題視された事実なのである。

さらに、スマートフォンで利用しているSNSほど危険なものはない。書き込んだ情報や、SNSでとった連絡の内容もまた、あなたという個人を特定するデータとして集積されているのだ！

それはたとえ、オープンなインターネット上にその内容を公開していなくてもである。

にわかには信じられないだろう。だが、これも先に述べたアメリカの諜報《ちょうほう》機関の元職員が暴露した事実なのだ。

「都市伝説、陰謀論の域を出ない」と見る向きもあるが、現実はわれわれの水面下で、着実に動き出している。今後、個人の監視はますます加速していくだろう。

しかし、個人情報を集めるのは何のためだろうか？

それは、その人物の信用度を測るためにほかならない。

世界を裏から動かす者たちは、新たな世界の構築のために、その世界に住まうべき〝資格〟があるかどうか、その信用度で決定し、管理しようとしているのである。

人間は「養分」へと成り下がるのか

信用度で管理されるようになった人類。管理が行き届いた世界では、人類は信用度に応じて然《しか》るべき場所へと生きる地を変えることになる。

近い将来、われわれは〝機械との融合〟が促進された世界に導かれるだろう。**それは地球上にありながら、地球上とは異なる場所――電脳空間・仮想現実の世界だ。**

人工知能（AI）は日進月歩で、超進化ともいえるほど驚異的な発達を遂げている。2045年には、人工知能が人類を超える「シンギュラリティ（技術的特異点）」を迎えるとの予測もある。

このとき人類は人工知能と融合し、仮想現実の空間に移行するのだ！

現在、脳に髪の毛よりも細いマイクロチップを埋め込む技術の研究が進められ、実用化に向けて着々と成果を出しつつある。

人間の脳に埋め込んだそのようなマイクロチップを通じて、思考や意識をデータ化・アップロードし、高度に進化した人工知能に移植、その中で構築された仮想世界で人類は生きていくのだろう。

これは人間が肉体という束縛から解放されることでもある。身体能力は仮想世界では意味をなさない。

アップロードされた精神体は、どこかに行きたいと思えば瞬時にそこへ移動できるし、見た目も自在に変えられるだろう。病気にもならないから、不老不死である。

使われなくなった肉体は、どうなるのか。**肉体は、仮想世界を動かすためのエネルギーになるのだ。**まさに、映画『マトリックス』の世界だ。

ひょっとすると、あの作品は来るべき未来をリアルに描いたものだったのではないか。われわれに抵抗感なく受け入れさせる下準備として、制作・公開されたものと考えるのは、穿《うが》ちすぎだろうか。

一見あらゆる苦から解放される理想世界のようにも思えるが、この計画には裏の支配者たちが、人類誕生以前から企《たくら》んできた意図が見え隠れするのである。

その意図とはいったい何なのか？

まずは、人類誕生へと繋がる衝撃の古代史を見ていこう。

第1章

歴史が覆る!?
「人類の誕生」に隠された真実

進化論では説明がつかない人類誕生の裏に潜む決定的な矛盾

突きつけられた世界の常識
「ダーウィンの進化論」への科学的反証

人類史の再構築を掲げる本書において、最初に考えなければならない問題は人類の起源についてである。

地球の生命体進化について、われわれの常識となっているのが、「ダーウィニズム」だ。これはイギリスの博物学者チャールズ・ダーウィン[*01]が唱えた進化論――大雑把にいえば、「生物は自然選択（自然淘汰《とうた》）によって、環境に適するものが進化してきた」という考えだ。これに現在では「突然変異」などの要素も加えられている。

*01 チャールズ・ダーウィン
イギリスの博物学者。1831年、ビーグル号での世界一周航海に出発し、動植物や地質を調査。1858年に進化論を提唱。翌年『種の起源』を刊行。

学校の授業やメディアを通して、だれもが一度はその内容を見聞きしたことがあるだろう。

しかし、ダーウィニズムには数々の矛盾点があることも、これまで多くの研究者によって指摘されていることをご存じだろうか。

一例を挙げよう。約5億4000万年前に突如として始まった、生命の爆発的な進化「カンブリア爆発」[*02]。ダーウィンの進化論によれば、生物は漸進的に進化をするはずである。実はダーウィン自身も、この現象を説明することができず頭を悩ませていたという。

また、突然変異は遺伝子のコピーミスで起こるイレギュラーであり、なぜ突然変異によって優れた生物が生まれるのかは判然としないのだ。

それではどうしてダーウィンは、進化論が不完全とわかっていながら発表したのか？　これについては、ある人物の存在があったために、つい「言ってしまった」という話がある。その人物とは、イギリスの博物学者アルフレッド・ウォレス[*03]だ。

***02 カンブリア爆発**
約5億4000万年前から5億年前ごろ（古生代カンブリア紀の初期）に、突如として今日見られる動物の「門（ボディプラン）」が出現した現象。

***03 アルフレッド・ウォレス**
イギリスの博物学者、生物学者、探検家、人類学者、地理学者。インドネシアの動物分布を異なるふたつの地域に分ける分布境界線「ウォレス線」を特定。

ダーウィンと同時期に進化論に取り組み、彼に先駆けて「自然選択」の概念にたどり着いたことで知られる。このことを知ったダーウィンは、「先に発表されては自分の研究が無駄になる」と恐れ、その焦りから発表に踏み切ったのだ。

結果[*04]、進化論はダーウィンの名のみが知られることとなったのである。

ついに見つかった！　人類誕生の謎を解く衝撃のデータ

このようにダーウィニズムは、不確かさを孕《はら》んでいた。２０１８年にはダーウィニズムの崩壊を決定的にするかのような驚愕《きょうがく》のデータが発表されている。

それは、**人類を含む全生物種の約90%が10万〜20万年前に同時に現れたというもの。**

このデータは[*05]、アメリカ・ロックフェラー大学のマーク・ストークル氏と、スイス・バーゼル大学のデビッド・タラー氏らが、地球上の10万種の生物種の遺伝子を調査したことで明らかになったという。

たしかにその時期の地球では、最終氷期により多くの生物が絶滅し、一時的に遺伝

*04 ダーウィンが提唱した仮説は「猿と人間には共通の祖先がいる」というものであり、彼は「人間は猿から進化した」とは言っていない。つまりダーウィンの言い分は、ある生物がいて、そこから一方が猿へ、もう一方が人間へと枝分かれしたというもの。たとえるなら、猿と人間は兄弟ではあるが、親子ではないということである。

*05 人類進化学の専門誌『ヒューマン・エボリューション（Journal of Human Evolution）』にて掲載。アメリカの遺伝子データバンクにある10万種の生物

子の多様性が失われたとされている。

これは、最終氷期または何らかの災害などによって「それ以前の生物と現行生物との間の繋《つな》がりが絶たれた」という解釈も成り立たないだろうか？

すなわち、30数億年前に地球上に誕生し、長い年月をかけて進化を遂げてきたとされる生命の系譜は、**10万～20万年前に途切れていた**ことになる。

それでは、われわれ人類の誕生は、いったい何によってもたらされたのだろうか？

その謎を解く鍵は、「シュメール文明」に残されていた！

手がかりはシュメールの石板に記されていた「謎の惑星」にあった

シュメール文明とは、今から６０００年前、現在の南イラクの地に興った世界最古

種のDNAから「DNAバーコード」を調査。中立な遺伝子変異にばらつきがなかったことが、この研究結果の裏付けとされている。

の都市文明である。

この文明は、奇妙な特徴を持つ文明として世界中の研究者たちの関心を集めている。文明とは、原始的な状態から徐々に高度なものになっていく。ところが、**シュメール文明は先行する文明が確認できず、突如高度な文明が現れたとしか思えないのだ。**

具体的には、冶金の技術を持ち、哲学や宗教、さらには測量技術や農耕技術など、現代文明の基礎にも通じるものを有していた。

なかでも驚くべきは、天文学の分野だ。

シュメールの人々が残した何万枚もの石板のなかには、正確な太陽系図を描いたものがあった。そこには、**太陽系の太陽と月、８惑星のみならず、１９３０年になって初めてわれわれがその存在を知った準惑星・冥王星まで刻まれていたのだ。**

それだけではない。シュメールの太陽系図には、もうひとつ、現代天文学で観測されていない謎の10個目の星が刻まれていた。

それが**惑星ニビル**である。

ニビルとは何なのか？　高度な天文知識を有した古代シュメール人が、いい加減な星をひとつ加えたとは考えがたい。
あえて刻むほどに意味があるものなのは明らかであり……これこそが、地球人類誕生の謎の「解」なのである！

太陽系図が刻まれたシュメールの石板

すべての始まりは、地球に活路を見出《みいだ》した2人の〝宇宙人〟

20億年前の原子炉が雄弁に語る、人類以前に存在した知的生命体の痕跡

惑星ニビルについて語る前に、前段として紹介しておきたいものがある。

それが、1972年にアフリカのガボン共和国オクロ地区にあるウラン鉱山で発見された、通称「オクロの原子炉」だ。

原子炉とは、核エネルギーを生み出すために、ウラン燃料を核分裂させる装置のこと。その原子炉と同じような核分裂反応の痕跡が、オクロの原子炉には見られたのである。

ここを調査したフランス原子力庁によれば、約20億年前に自然現象として天然ウランの核分裂反応が起こり、平均１００kw相当の出力反応が約60万年間続いていたという。理論上では、「自然界で天然原子炉ができることはあり得る」とされ、これもその一種というのが表向きの解釈だ。

だが、この天然原子炉説という報告を鵜呑《うの》みにはできない。

なぜなら、原子炉は現代の科学技術をもってしても、非常に高度かつデリケートな管理が必要だからだ。その関門をくぐり抜け、約60万年間も安定した核分裂反応を自然に持続させることは不可能だろう。**人為的な手が加わっていることは間違いない。**

しかし、人類すら存在しない約20億年前からだ。当然、このようなものを扱える知的生命体は〝地球上には〟いない。ならば考えられるのは、ただひとつ――宇宙からの来訪者である。

オクロの原子炉を造った宇宙からの来訪者の存在を示す直接的な証拠は残されていない。しかし、地球にはその後も、現代のわれわれよりもはるかに高度な文明を持つ知的生命体が訪れていた可能性があるのだ。
それこそが「惑星ニビルの住民たち」である。

地球に再起の望みをかけた宇宙からの使者により、人類誕生への歩みが始まる

前述の「シュメールの石板」には、謎の惑星ニビルからの来訪者の記録も残されている。それを解き明かした人物が、イスラエル出身の宇宙考古学者ゼカリア・シッチン[*06]だ。

彼は長い時間をかけてシュメール語を習得すると、何万枚にもおよぶシュメール文明の石板を手がかりに、シュメールに伝わる創造主アヌンナキの神話から、高度な文明の謎に〝ひとつの解〟を導き出した。

それは惑星ニビルから地球に訪れた**宇宙人アヌンナキによっ**

*06 **ゼカリア・シッチン** パレスチナ生まれのユダヤ人。イスラエルを代表するジャーナリストとして活躍したシュメール語を解読できる数少ない学者のひとり。古文書をもとに有史以前からの人類と地球の出来事を綴った著書が世界的ベストセラーになった。

て現生人類が創り出されたという壮大な神話である。

少し長くなるが、その衝撃の人類史を追っていこう。

シッチンによれば、ニビルは太陽系第10惑星（準惑星である冥王星を含む）であるという。ニビルは3600年ごとに地球に接近し、長楕円軌道を描きながら公転する（ニビルには「交差する」という意味がある）。われわれがニビルの存在を観測できないのは、長楕円軌道のため現在は外宇宙にあるからだ。

このニビルには、知的生命体＝アヌンナキが存在している。

今から45万年ほど前、ニビルは環境危機に瀕《ひん》していた。当時、ニビルでは地球でいうオゾン層のような大気を覆うシールドが破壊されてしまっていた（原因は大きな戦争ともいわれている）。そのため、有害な紫外線がニビルの大地に降り注ぐようになる。これを食い止めるには、「金の粒子」を空中に散布し、再びシールドを形成する必要があった。しかし、ニビルには肝心の金が存在しない。

そこでアヌンナキたちが目をつけたのが、金鉱が豊富だった、ニビルと同じく太陽系の第３惑星――そう、地球である！

ニビルの王子であるエアは、父王より地球の金の回収命令を受け、50人のアヌンナキとともに地球に遣わされ、今のペルシア湾辺りに降り立ったという。

「科学のエンキ」と「超感覚のエンリル」地球での邂逅《かいこう》

ニビルの優れた科学者でもあったエアは、地球[*07]の海水から金を抽出するという発明で大量の金をニビルに送り出した。また、地中の鉱脈からも金を掘り出すことに成功した。

この功績から、「地球の支配者」という意味の「エンキ」という称号を与えられた（なお、シュメール神話でエンキは知識と科学の象徴であり、その容姿は上半身が人間、下半身は蛇であるという）。

*07
海水中にはさまざまな物質が溶け込んでいるが、その元素は濃度が希薄かつ多種であるため、陸上資源の回収方法とは異なる技術が必要である。

エンキが地球にやってきてから数万年後、ニビルからエンキの異母弟である「エンリル」が地球にやってきた。

エンリルはヒューマノイド型のアヌンナキで、角を持ち、長い髭《ひげ》をたくわえた、現生人類のような姿をしていた。また、エンキとは対照的に、超感覚、スピリチュアルな精神を持っていた。

科学のエンキと超感覚のエンリル……

当然、2人の間では考え方に大きな齟齬《そご》がある。やがて地球の支配権を巡り、兄弟の間で溝が深まることとなった。

左：エンキ、右：エンリルの石像

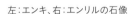

奴隷創出プロジェクト「ルルアメル・プロジェクト」

このエンキ、エンリルによるアヌンナキ同士の争いとは別の問題が、地球で起きた。**それがレプティリアンの反乱である。**

レプティリアンは、アヌンナキたちが金を採掘するための労働力が足りないことから、優れた科学力を持っていたエンキが創り出した奴隷だ。エンキが自身の遺伝子に恐竜の遺伝子（諸説あり）[*08]をかけ合わせ、女性アヌンナキ[*09]に人工授精し、生み出された人工生命体がレプティリアンである。

レプティリアンは生殖能力を持たないが、その代わりに寿命が長い生命体だったので、長期間（数万年ともいわれる）にわたって働かせるには好都合だったのだ。

ところが、**奴隷としてひたすら働かされつづけるレプティリアンたちは、次第に不満を募らせ、たびたび反乱を起こすようになる。**

そこでアヌンナキは、新たな奴隷を創る計画を開始する。それがエンリルによる

*08 ほかに、類人猿とエンキの遺伝子をかけ合わせたという説もある。

*09 「ニンフルサグ」という女神。土地の繁栄、豊《ほう》穣《じょう》を司る女神という点から、土偶がニンフルサグを象徴するのではないかといわれている。また、大地母神イナンナであるという説も有力である。つまり、縄文より信仰される大地母神であり、土偶に象徴されることから、縄文時代より信仰される大地主神といわれるアラハバキ神と同一視される。

人類創生計画「ルルアメル・プロジェクト」だ。

レプティリアンは、女性アヌンナキの介在なしには殖《ふ》やすことができない。これはアヌンナキたちの負担が大きく、効率も悪かった。

そのため、生殖能力を持ち、自分たちで殖え、しかも〝心を持たない〟、エンリルの遺伝子を利用した彼に似たヒューマノイド型の人工生命体を創出しようとした。

その計画が遂行されていた場所こそ、アフリカだった。

アフリカがルルアメル・プロジェクト実行の地として選ばれたのにはさまざまな理由があるが、ここではふたつの説を紹介しよう。

ひとつは、同時期にペルシア湾の金がなくなり、アヌンナキたちが大きな金鉱を持つアフリカ大陸へと移動したため。

そしてもうひとつの理由。それが先に紹介した、「オクロの原子炉」がアフリカにはあったことだ。

アヌンナキたちが地球に降り立つ以前に、何者かが使用していた人工原子炉を再利

用しようとしたのだ。

当初、ルルアメル・プロジェクトはなかなかうまくいかなかった。生殖能力を持たない〃キメラ〃[*10]と呼ばれるものが生み出されつづけたからだ。

そこで原子炉を稼働させ、その放射線で新たな人工生命体にわざと突然変異を起こし、生殖能力を持たせようとした。**これを繰り返すうちに偶然誕生したのが、「レムリアン」という人工生命体**。

こうして地球上には、エンキが創出したレプティリアンと、エンリルによって生み出されたレムリアンという、２種類の人工生命体が存在することとなった。

*10 このとき生まれたキメラには、人の顔をした獅子《しし》＝スフィンクスや、人間の上半身に馬の下半身を持つ生き物＝ケンタウロスがいたという。

聖書、叙事詩……古代からの叡智《えいち》が繋がる人類誕生の実話

ムー大陸とアトランティス大陸は巨大な宇宙船だった！

新たな奴隷として誕生した人工生命体レムリアン。**奴隷として期待されていたが、彼らは純粋な奴隷ではなかった。**

創造主であるエンリルは、エンキとは思想が異なることは前述した通り。彼は文明が発展することに否定的だった。だから、レムリアンには〝育ってほしくなかった〟[*11]のだ。

つまり、エンリルはペットを飼うような感覚で、レムリアンたちを過保護なまでに溺愛するように可愛《かわい》がっていたという。

*11　エンリルがレムリアンに育ってほしくなかった理由は、レムリアンがスピリチュアルな能力を持った生き物で、瞑想《めいそう》することでアヌンナキより高次元の「神」といわれる存在と繋がることができたから。つまり、アヌンナキを超える力を手にすることを恐れたためといわれている。

もちろん、レムリアンも金の採掘に従事していただろう。しかし、「お前たちは奴隷だ」という高圧的な支配をされるのではなく、エンリルから道具や必要な体制をお膳立てしてもらい、「エデン」[*12]と呼ばれる楽園で、のんびりと暮らしながら働いていたと考えられる。

では、レムリアンたちが、暮らしていたエデンはどこにあったのか？

その場所こそ、「ムー」だ。ご存じの方も多いだろう、かつて太平洋上に実在していたとされる、超古代の幻の大陸である。

一方、エンキが管轄する人工生命体レプティリアンたちは、ムー大陸と並び語られる、大西洋上の大陸「アトランティス」にいたという。

現在、都市伝説上の大陸として語られるこのムーとアトランティスだが、ここでひとつ、瞠目《どうもく》すべき驚愕の説を披露しよう。

この超古代大陸の正体は、

大都市を備えた超巨大な宇

*12 **エデン**
『旧約聖書』「創世記」第2、3章に記される、神・ヤハウェがアダムとイブのために設けた楽園。地理上の正確な位置はわかっていないが、パレスチナより東、チグリス・ユーフラテス川の源ともいわれている。

宙船だった可能性があるのだ！

つまり、ムーはエンリルらが、アトランティスはエンキらが操る、「大陸と見紛《みまご》うほどの大きさの、奴隷たちを乗せた母船」だったかもしれない。普段は地球上を移動せず、それぞれの大洋に浮かんでいたため、大陸と称されるのだ。

アダムとイブ、だれもが知るエピソードの原型はムーで起きていた

レプティリアンは反乱を起こすくらいなので、レムリアンと異なり、心を持つ。だからこそ、レプティリアンたちはレムリアンの平穏な暮らしをうらやましく感じるようになっていく。「同じ奴隷なのに、何でそんなに自由なんだ、優遇されるんだ」と。[*13]

そこで嫉妬したレプティリアンが、ムー大陸のエデンに紛れ込み心を持たないレムリアンに〝自我〟[*14]のようなものを与えてしまう。心を持ったレムリアンは、考えるこ

＊13　ほかの大陸と海で距離を隔てられ、自由に行き来できなかった地ではなく、移動が可能な宇宙船であったからこそ、アトランティスで金を採掘する奴隷として働かされつづけたレプティリアンにも、ムーのエデンでぬくぬくと暮らすレムリアンたちの話はよく伝わっていたのだろう。また、『旧約聖書』「創世記」第１章には「神は自分のかたちに人を創造された。すなわち、神のかたちに創造し、男と女とに創造された」と記されている。これはレプティリアンとは違い、われわれ人類は神に似た姿で創られたことを意味している。

とを始め、やがて競争意識や差別意識に目覚めてしまう……。結果、レムリアンたちはムーから地上へ追放されてしまう。

この楽園エデンで、レプティリアン（爬虫類型《はちゅうるいがた》人工生命体）にレムリアン（人間型人工生命体）が知恵を与えられ、追放された話に、ピンとくる読者もいるだろう。

そう、**『旧約聖書』で、アダムとイブが、蛇にそそのかされて「知恵の実」を与えられ、「自分たちが裸であることに恥ずかしさ」を覚えるようになった、**あのエピソードの原型がここにある。アダムとイブは、ムーで生まれたレムリアンだったのだ。

〝ノアの方舟《はこぶね》〟が運んだものは 動物そのものではなく動物のDNA

やがて、生殖能力を持ち、知恵を身につけたレムリアンたちは、地上でどんどん殖えていく。代を重ねるなかで競争意識を高め、文明を発展させていく様子は、超自然を志向していたはずのエンリルの理想とはかけ離れたものだった。

*14 近年、通称「知恵の実遺伝子」と呼ばれるヒトにあってサルにない遺伝子と、その移植技術が研究されている。これと同様の技術で、自我を司る遺伝子をレムリアンに移植したと考えることも可能だろう。

レムリアンの子孫たちを激しく嫌ったエンリルが行ったのは、レムリアンの殲滅《せんめつ》だ。

人工的に大洪水を起こし、すべてを葬り去ろうとしたのだ。

だが、エンリルと対立するエンキは、この計画を知ると、優れたレムリアンの子孫だったツィウスードラに大洪水が起こることを知らせた。

そして、ツィウスードラに大洪水を乗り切ることができる船を造らせ、大事な家族のほか、すべての動物を1組ずつつがいで乗せて、大洪水に耐えて生き残るよう助言した——もう、おわかりだろう。

ツィウスードラとは「ノア」のことであり、これもまた、４８００年前に起きたとされる未曽有の大洪水伝説、『旧約聖書』「創世記」の一編、「ノアの方舟」[*15・16]の原型だ。

なお、ノアの方舟が史実ならば、ある疑問が浮かぶ。

このとき建造された方舟のサイズは、長さ133m、幅22m、高さ13mだったと伝えられている。そんな大きさの船に、すべての動物を乗せられるのだろうか？

答えは「YES」である。

何も〝生きている動物〟そのものを乗せる必要はないからだ。

*15 ノアの方舟
『旧約聖書』「創世記」に登場する船。神に命じられたノアが造り、世界中の動物のつがいを乗せ、襲い来る大洪水から守ったとされている。

*16
シュメール神話アッカド版によると、バビロニアの『アトラハシス叙事詩』（紀元前1700年までに成立）では、大洪水の原因を人類の人口過剰としている。エンリルは1200年間におよぶ人類の繁栄の結果、騒音と喧騒《けんそう》のため、睡眠が妨げられるようになり、解決策として疫病や飢饉《ききん》、塩害など、人類の数を減らすさまざまな手段を講じ

すなわち、「すべての動物のＤＮＡサンプル」を試験管に保存したと考えられる。そして、洪水の水が引いたとき、人工生命体をも創り出すアヌンナキに伝えられた高度な科学技術でＤＮＡから再生すれば可能だったと推測できる。

もうひとつ。方舟は天変地異で転覆する危険性があったはず。そんなギャンブルめいたことを、エンキが助言するとは思えない。

つまり、方舟は水上を漂う船ではないことは明らかだ——そう、方舟とは宇宙船であり、大洪水がおさまるまで地球の上空に浮かんでいたのだろう。

実際にこの絵のようにすべての動物のつがいを生きたまま乗せることは不可能だろう。

る神々の集会を援助した。その後1200年経って、人類は元の状態に戻った。神々が洪水を起こすときに、その解決策に道義的な疑問を抱いていたエンキは、洪水計画をアトラハシスに伝え、彼は神託に基づく寸法に沿って船を建造した。そして、洪水を予防するため、エンキは結婚しない女性、不妊、流産、さらには幼児死亡など、人口抑制のための新しい解決策を作り出した。第4章以降に触れる世界で現在進んでいる人口削減計画との共通点も見られるエピソードである。

インド二大叙事詩に記録された古代核戦争の真相

レムリアンの殲滅を主導したエンリル。

その危機を救ったエンキ。

この構図を単純に捉えれば、〝破壊〟を行ったエンリルは悪であり、〝救済〟を行ったエンキを善と感じるかもしれない。

しかし、ここでひとつ、本書を読んでいるあなたに覚えておいてほしいことがある。

それは――宇宙の自然原理には、創造、維持、破壊のサイクルが必要だということ。

形あるものは必ず壊れる。その後に新たな時代、新たな世代、新たな創造が訪れることこそが自然の法則なのだ。

エンリル[*17]による破壊は、そのサイクルを守るための、いわば〝必要悪〟であり、エンキがそのサイクルを破り、悪魔の所業、〝維持〟にこだわったともいえる。

この〝維持〟という自然法則に反した掟《おきて》破りは、そのまま現代・未来に繋がるのだが、それは第4章以降で追っていくので、今はここまでにとどめておこう。

さて、これまでも思想、価値観、志向、すべてが相容《あいい》れなかったエンリルとエンキ。エンリルが溺愛していたレムリアンの平穏の歯車を、エンキのレプティリアンが狂わせ、大洪水という厳しい処罰すらも邪魔したエンキの行い……やがて両者の緊張関係はさらに根深いものになっていく。

その結果、両者の溝は深まり、兄弟喧嘩《げんか》の範疇《はんちゅう》を超え、ついには**地球規模の核戦争**を招いてしまった！

ムーとアトランティスという巨大宇宙船を中心に、核をも用いた戦いが始まったの

*17 エンリルはインド神話の破壊神シヴァ、日本神話の素盞嗚尊《すさのおのみこと》とも同一視される。

だ。

その戦いは「ポールシフト」をも引き起こした可能性がある。

ポールシフトとは、地球の地磁気が逆転する実際にある現象であり、地球の歴史上では30万年に一度起こるとされる。それほどの激しい戦いだったようだ。

アヌンナキは身長30m以上、レムリアンであるアダムとイブも30mほどあったといわれる。当時、地球上の生物は今よりもはるかに巨大だった。しかし、[*18]**この戦争により地球環境の激変で、次第に小さくなっていった**ようなのだ。

このことから、地球規模の核戦争はポールシフトだけでなく、地球の重力の強さを変え、酸素濃度を変え、放射線により、地球上の生き物のサイズを縮小させていく変化にまで影響を与えたかもしれない。

現代に、アヌンナキの地球統治時代のような、数十mにもおよぶ地上の生物がいないのはそのためだ。

このような核戦争が超古代に起きていたことは、荒唐無稽に思えるかもしれない。

*18 時折、世界各地から巨人の骨の発見が報告されるが、それはこの時代の知的生命体である可能性が捨てきれない。

だが、**この戦争を描いた可能性のある記録が残されている。**それが、インド二大叙事詩『マハーバーラタ』[*19]と『ラーマーヤナ』[*20]だ。ともに紀元前からの伝説をまとめたものだが、そこで描かれていることこそ、神々の戦争なのだ。

『マハーバーラタ』においては、「太陽が1万個集まったほど明るい」弾丸が落とされ「煙と火がからみあった光輝く柱がそそり立った」という記述や、黒い雨が降ったなど――まさに核兵器が使用された場面としか思えない描写がなされている。

これらは神話、もしくは予言とも捉えることができる。

しかし、過去に起きていた「事実」としても、十分に読み解けるのだ。

そして、どちらの叙事詩にも「ヴィマーナ」という飛行する戦闘機が登場している。思いのままの速度で飛行し、宇宙空間にも飛び出せる。これは宇宙船を想起せざるを得ない。

さらにもうふたつ、古代核戦争を物語るものがある。

それも、先に述べた神話・伝承のようなものではない。世界各地に残された明確な痕跡、すなわち物的証拠である。その代表的事例が、**インダス川流域で高度に栄えた**

*19 **マハーバーラタ**
古代インドの叙事詩。18編10万頌の詩句からなり、世界にも類を見ない長大なもの。ビヤーサという仙人が3年間で書いたとされている。しかし実際は、紀元前から口伝されてきた物語が修正増補の後に、4世紀ごろに現在の形になったと考えられている。

*20 **ラーマーヤナ**
古代インドの叙事詩。詩人バールミーキの作といわれており、3世紀ごろに成立。7編2万4000詩節からなる。

インダス文明最大の都市遺跡、「モヘンジョ・ダロ」[*21]だ。

インダス文明は紀元前２５００年から紀元前１８００年ごろにかけて繁栄した。モヘンジョ・ダロには、核戦争の痕跡が残されている。

遺跡の建物の部屋の中で無造作に転がる、３０００年以上前の不自然な46体の白骨死体が発見されているのだ。そのうち9体はなんと、**一瞬のうちに超高温にさらされたとしか思えない形跡があった。**しかも、**通常の50倍もの放射能が検出されているのだ！**

驚くにはまだ早い。モヘンジョ・ダロ

インドネシアのボロブドゥール遺跡にある鐘形塔は、ヴィマーナを模しているという説もある。

***21 モヘンジョ・ダロ**　インダス文明最大の都市遺跡。東西にふたつの遺跡群があり、西の城塞地区には穀物庫や大浴場、邸宅、集会所などの大建築物跡があり、東の市街地には民家や商業施設が確認されている。

から5㎞離れた場所には、800平方mほどの面積を石で覆った場所があり、そこでは石が「ガラス化」していた。それは、石を超高温で熱した後に急冷しなければできないものだ。詳しく調べてみると、そのガラスは、トリニタイト[*22]という核爆発が起こらないと生成されない自然界では見つかっていない物質だったという。

また、トルコのアナトリア高原の秘境には、「カッパドキア[*23]」という大小30以上の地下都市遺跡がある。カッパドキアの地上部分は、高熱で溶けたような不自然な形状だった――これは核戦争に備えて建設された「核シェルター」だったことを示唆しているのかもしれない。

ついに現生人類の祖が「和解の象徴」として誕生

エンリルとエンキによる戦いは、実に数千年におよんだという。その激しさから、ムーとアトランティスは、互いに壊滅的なダメージを受けたのだろう。それが1万2000年前、ムーとアトランティスという〝大陸〟が、神の怒りに触れ、天変地異で

*22 **トリニタイト** 人類史上初の核実験であるトリニティ実験に伴って生成された人工鉱物。

*23 **カッパドキア** 現在のトルコ東部の古代地名。紀元前15〜紀元前12世紀にはヒッタイト王国の中心地、アケメネス朝ペルシア、セレウコス朝シリアの支配を経た。中世の洞窟修道院が多く残ることでも有名。地下20階におよぶものもあり、そこでは10万人以上が暮らすことができた。

海中に没したという伝承の実態なのかもしれない。

なお、ムー大陸の文明の残滓《ざんし》とされるものには、謎の巨石像モアイで知られるイースター島や、ミクロネシア連邦の海上にある人工島ナン・マドール、日本の沖縄の海底にある与那国遺跡などがある。

一方、アトランティス大陸では、バハマ諸島ビミニ島の海底遺跡ビミニ・ロード、カナリア諸島テネリフェ島の階段状石組み遺跡グイマーのピラミッドなどの名が挙げられるだろう。

だが、それらは両大陸の文明の影響下にあったものかもしれない遺跡にすぎず、決定的な痕跡とは言い切れない。大陸そのものが見つかっていないのだから。

何より、ムーもアトランティスも、都市を持つ超巨大な〝宇宙船〟なのだ。**３６０年に一度、地球に近い軌道をとる母星ニビルの接近のタイミングで、宇宙船に帰還できるくらいの余力のあるうちに、地球から撤退してしまった**と考えるほうが理屈に合うかもしれない。

この戦いは、結局のところ痛みを伴う引き分けといえた。

そこで、エンキとエンリルは和解。アヌンナキたちは、地球上にその象徴としての新たな人工生命体を残す。それが、「ドラコニアン」、すなわち**現在のわれわれに繋がる現生人類の祖**である。

ドラコニアンは、エンリルとエンキが直接創造したわけではない。

だが、それぞれの血統にある「イナンナ」という女性アヌンナキが生み出した人工生命体だ。イナンナは、〝レプティリアンの女王〟と呼ばれることがあるように、本人は体に鱗《うろこ》を持ち、蛇（爬虫類的）要素が強い。しかしヒューマノイド型で角を持つエンリルの血も受け継ぐ＝レムリアンの遺伝子も持つ。

つまりイナンナによる、エンリルとエンキの和解の象徴ドラコニアンには、エンリルとエンキ、またはレプティリアンとレムリアンの血が受け継がれている。いや、それこそ[*24]イナンナ自身がドラコニアンだったという説もあるくらいなのだ。

そして、このムーとアトランティスの戦いからドラコニアンが誕生する一連の流れは、われわれ日本人にとって馴染《なじ》み深い、最古の歴史書の記述に繋がっていく――。

*24 ドラコニアンのなかには、レプティリアンの血脈の者が存在する。そのため、ドラコニアンは光と闇の心を持ち合わせているのだ。イナンナはヒンドゥー教の主神シヴァの妃・カーリーと同一視されることもある。カーリーは人の首を持つ残酷な姿が知られているが、そのように時に魔がさすこともあるのがドラコニアンの特徴だ。

日本、西アフリカに伝えられたアヌンナキの痕跡

滅亡後の人類再生は日本から始まった！

ドラコニアン誕生の軌跡が残る歴史書とは、『古事記[*25]』だ。**そこに綴《つづ》られる日本の国生み、神生みのエピソードは、ムーとアトランティスの核戦争によって滅びた地球と人類の再生のことを暗に示している**のではないだろうか。

国生み、神生みの概要を説明しよう。まず、イザナギ、イザナミという二柱の神が、高天原《たかまがはら》の神々の命令を受けて天沼矛《あまのぬほこ》という矛で漂う地上界をかき混ぜ、大地を創り出す。ここに降り立ったイザナギとイザナミは、天の御柱《みはしら》という柱の周りを回り、お互

[*25] 古事記
奈良時代初期に編纂された日本では現存最古の歴史書。上中下の3巻。上巻は神々の物語。中・下巻は推古天皇に至る天皇、皇子らの物語。

いに結び合うことで、子である「神」を生んだという伝説だ。

この高天原の神々こそ、アヌンナキにほかならない。であるならば、イザナギとイザナミとは、エンリルとエンキとも解釈できるだろう。その和解の象徴として生まれたドラコニアンが、イザナギとイザナミの生み出した神々だ。

しかし、ドラコニアンを生んだイナンナのことを忘れてはならない。そして、思い出してほしい。エンリルが起こした大洪水のときに、方舟で地上生命の保存と、洪水後の地上生命の再生を託されていたノアの存在を——つまり、イザナミはイナンナであり、イザナギはノアと見ることもできるのだ。


いずれにせよ、エンキとエンリルの和解の象徴として創造された人類の祖・ドラコニアンたちは、和解の行われた地に降り立った。その場所こそ、『古事記』の舞台である日本だ。**具体的には、〝火の国〟！　現在の熊本県にほかならない。**


なぜ、そう言い切れるのか？

この地には、創建1万5000年ともいわれる古社「[26]幣立神宮《へいたてじんぐう》」があるからだ。こ

*26 **幣立神宮**
熊本県蘇陽町にある国始めの高天原神話発祥の神宮。神武天皇の孫である健磐龍命が白鳥の案内で立ち寄り、幣帛《へいはく》（神前の供物）を立て、天神地祇《ちぎ》を祀ったとされている。

の神社には、『古事記』や『日本書紀』の古史古伝には記されていない、次のような神話が語り継がれている——。

神社の主祭神である健磐龍命《たけいわたつのみこと》は、この地に御幣（祭祀《さいし》の際に神に捧げるもの）を立てて、宇宙から降臨した神々を奉斎《ほうさい》したという。

そして、五色人[*27]と呼ばれる世界人類の祖先が集い、人類の幸福と安泰と平和を願い、ここから世界に散っていった、と。

この神話が意味するところは、人類にとっての神、アヌンナキの和解の象徴としてのドラコニアンたちが、宇宙船ムーから和解の地である日本に降り立った。そして平和と繁栄を願い幣立神宮が創建され、ドラコニアンたちは日本から世界各地へと羽ばたいていったことを示すのではないだろうか。

何より注目していただきたいのは、神社創建にかかわった主祭神・健磐龍命の名だ。「龍」の文字が入っている。すなわち、ドラゴン＝ドラコニアンなのだ！

さらに、注目すべき話がある。『古事記』でイザナギ、イザナミが創った日本列島だが、その地形は龍を思わせないだろうか。日本列島を分解してみると、なんと世界

＊27 五色人
五色人は、赤、白、黄、黒、青の肌の色で分けられた種族のこと。赤人はユダヤ人やネイティブアメリカン、白人はヨーロッパのゲルマン人やラテン人、黄人は日本や中国などのモンゴロイド、黒人はアフリカのニグロイドなど、青人は北欧系やスラブ人を指すという。また、五色人が集った際、各代表は北に紫人（黒人）、東に青人、西に白人、南に赤人が並んだという。これは、吉相の土地と呼ばれる四神相応の地という形で現在に伝えられている。すなわち、北には玄武（黒亀）つまり大きな山。東には青龍つまり清い流れ。西には白虎

の五大陸に当てはめることができるのだ。これらもまた、人類の祖・ドラコニアンたちは、日本から世界へ広がったことを象徴しているのかもしれない。

日本語は世界最古の言語にして、世界最古の文明の証拠

ドラコニアンたちが日本から世界へ広がった——ということは、世界最古の文明の地は、シュメールではなく、日本ということになる。

その裏付けともいえる文献も存在する。古史古伝以前、縄文時代末期に書かれたという『秀真伝《ホツマツタヱ》』がそれだ。

『秀真伝』は景行天皇[*28]の時代に大田田根子命《おおたたねこのみこと》によって編纂《へんさん》、献上されたとされる。

この文献は、現代では使われないいくつかの文字で綴られているが、なかでも「ヲシテ文字」は特筆すべき文字だ。なぜなら、ほかの言語のほとんどは子音中心であるなか、**現在の日本語と同様に母音を中心に子音を加えた48の音から成り立っているから**だ。そして、ヲシテ文字を構成する48の音は、実は宇宙が誕生したときからあった、

つまり道路。南には朱雀《すざく》つまり大きな平野。そして中央が吉相の土地となるという説もある。五色人創造の地である日本では、神社やお寺の五色の幕や鯉《こい》のぼりの五色の吹き流しが五色人にちなんで残されているという。五色の人が一堂に集まって祭りを行うというのは世界平和の象徴でもある。

＊28 景行天皇
日本武尊《やまとたけるのみこと》の父で、第12代天皇。古史古伝によれば、生没年は紀元前13年から130年、143歳で崩御（諸説あり）。考えられないほど長寿なのは、アヌンナキの遺伝子を受け継ぐドラコニアン

〝自然の音〟だという。その音自体がエネルギーを持つものだった。

そう、宇宙の音ということは、宇宙人＝アヌンナキも使っていたということだ。つまり、ドラコニアン＝日本人がヲシテ文字を受け継いできたことは、それすなわち、

日本語は世界最古の言語だった可能性が高いということを意味しているのである。

ヲシテ文字とよく似た文字は、イースター島のロンゴロンゴ文字など、太平洋側の地域の少数民族の間でも見られる。太平洋側……つまり、宇宙船ムー＝ムー大陸があった場所だ。

また、ヲシテ文字が書かれる『秀真伝』には、イザナギとイザナミが国生み・神生みの際に天の御柱を回りながら歌った「あわのうた」がある。

イザナギを表す「あ」に続く23の言葉と、イザナミを表す「わ」に繋がる23の言葉からなるが、これは、男女それぞれ23語ずつ計46音、つまり染色体の数と同様で、DNAの二重螺旋《らせん》構造についてまで記述されているのだ。

だからか!?

それだけでなく、**日本を起点にドラコニアンが世界に散ったことを文字や言語は示している。**一般的に世界最古の文明とされるシュメール文明の言葉は、周辺とは孤立した言語体系を持つのだが、日本語と同様、膠着語《こうちゃくご》（「てにをは」の助詞で接合する語）であることなど、共通する点が数多く見られる。また、シュメール[*29]の楔形《くさびがた》文字は、日本語の漢字仮名混じりの構造と同様であるともいう。

このことからもシュメール人は、アヌンナキの宇宙船ムーから降り立った日本人が世界各地に散らばったことを意味するのだ。

西アフリカの先住民族が秘中の秘として語り継ぐ驚異の神話とは

ここまでシュメールに伝わる神話の解釈をベースに、人類の祖がアヌンナキによって生み出されたことを語ってきた。人類の文明の陰には、アヌンナキがいるのだ。

そのことを暗に示す事例を補足ながら付け加えておこう。

*29 さらに、単語で見れば例は枚挙にいとまがない。日本語で「天皇」を表す言葉に「スメラギ」「ミカド」などがある。これは、「スメラギ」が「シュメール（Sumer）」＋「火神アグ（Ak）」の複称であり、「ミカド」は「天降る神」を意味する「ミグド（Mgut）」と共通する。

それが**ドゴン族の神話**だ。

西アフリカのマリ共和国には、人類最古の民族ともいわれる先住民ドゴン族がいる。

彼らは、高度な天文的知識を持ち、それを神話で語り継いでいたのだ。

例えば、木星の衛星や土星の輪――これらはイタリアの天文学者ガリレオ・ガリレイ[*30]が天体望遠鏡を使って発見したことで知られるが、**それよりはるか昔、望遠鏡もない時代に、ドゴン族は神話でその存在を知っていたのだ。**

これは序の口、驚くのはまだ早い。

彼らは、「おおいぬ座でひときわ明るく輝く恒星シリウスの周りを、白く小さく、かつ重い『ポ・トロ』という星が50年周期で回っている」と語っている。このポ・トロと特徴が一致する星が、近年になって確認されたのだ。それが、肉眼ではとうてい見ることも不可能なほど小さく、超高密度で重い白色矮星《わいせい》「シリウスB」だ。

それだけではない。１９９５年には、フランスの天文学者がシリウスを回る第二の伴星シリウスCを発見した。その星こそ、ドゴン族の神話では、「エンメ・ヤ」と呼ばれるものと一致したのだ。

*30 **ガリレオ・ガリレイ**
ルネサンス末期のイタリアの天文学者、物理学者。「落体の法則」「慣性の法則」といった力学上の諸法則のほか、月面の凹凸、木星の衛星、太陽の黒点などを発見。ニコラウス・コペルニクスの地動説を支持し、宗教裁判の後フィレンツェ郊外に軟禁された。晩年には失明し、不遇のうちにこの世を去った。

なぜ、このような星の存在をドゴン族が知っていたのか。それこそがアヌンナキの持っていた知識にほかならない。

彼らの神話によると、創造神アンマが、ノンモ[*31]という存在を創り、ノンモに似せて人間を創ったのだという。アンマ[*32]＝アヌンナキと響きも近く、名称が変わっただけと考えれば、違和感はない。

また、それだけなら偶然の一致とも思えるが、**ドゴン族は医療知識も持っており、白血球、赤血球の役割、そして血液が体を循環していることも知っていた。**高度な遺伝子操作技術を持っていたアヌンナキの知識までは理解できなくとも、ミクロ領域の知識に足をかけていたことは十分に考えられるだろう。

こうした神話もまた、アヌンナキの残した痕跡といえそうだ。

*31 ノンモは上半身が人間で下半身が魚。シリウスCの周りを公転する「ニャン・トロ」から来たといわれているが、その星は未だ確認されていない。

*32 アンマ＝オウム（AUM）という宇宙が生まれたときの音にも酷似している。

地球人類は火星が果たしている役割を何も知らない

火星は地球とニビルを繋ぐ中継地だった！

アヌンナキは、地球以外の惑星にも痕跡を残している。それが火星だ。

火星には、地球からニビルへ金を運ぶときのハブとしての機能があった。

火星での中継の管理は、アヌンナキのなかの「イギギ」と呼ばれる生命体によって行われていた。アヌンナキとは、本来、「アヌンナ」と「イギギ」という2種類の生命体の総称で、アヌンナがエンリルやエンキらを指す。そしてイギギは、アヌンナよりも下位の劣等種と考えられる。

このイギギ、われわれ地球人はほとんど遭遇こそしていないが、お馴染みの存在でもある。彼らの通称は「リトル・グレイ（もしくは「グレイ」）」――全身灰色で、大きな頭部に細い手足、アーモンド型の目をした、宇宙人の姿として真っ先に思い浮かべる、アレだ。

余談ながら、実は火星の管理者であるグレイは、長寿である一方、生殖能力がない。そのため、やはりアヌンナキの血を受け継ぐ地球人の遺伝子を採取し、これを利用して人工繁殖をするという。この行いは現在も続いている疑いがある。グレイが火星から飛来しているとは言い

リトル・グレイのイメージ。アメリカではアブダクション（誘拐）事件で多数の目撃証言がある。

切れないが、たびたび地球でその姿を目撃され、アブダクション事件が報告されているのはそのためだ。

火星が中継地であることを証明する数々のハードエビデンス

では、アヌンナキたちが火星を中継地としていた痕跡とは何か？　それは、火星地表にかつて存在していた都市である。

「バカな、火星といえば赤い岩だらけの荒涼とした不毛の大地ではないか」。そんな声も聞こえてきそうだが、これは大きな間違いだ。**これまで地球からの火星探査機によって、ハードエビデンスともいえる数々の〝画像〟が得られている。**

とりわけ有名なのが、「人面岩」。1976年にNASA（アメリカ航空宇宙局）の火星探査機バイキング1号[*33]が、火星のシドニア地区で撮影した写真に、人の顔を思わせるモニュメントらしきものが捉えられていた。

また、ほかにも楕円形の覆い状の構造物や、周囲に螺旋状の道を持つ円錐形《えんすいけい》構造物など、まるで都市の遺構ともいえるものが密集しているのだ。

***33 火星探査機バイキング1号**
1970年代にアメリカで行われた火星探査計画「バイキング計画」で打ち上げられた火星探査機のひとつ。火星に生命が存在するかどうかの調査が主目的。生物が存在する決定的な証拠は得られなかったとされている。

これらは、「たまたまそのように見えただけ」と一蹴されることもある。

だが、目の錯覚では済まされないものもまた、火星の画像から確認されている。

それが、**火星ピラミッド群**だ。

火星には、あちこちにピラミッド状の構造物が見られるのだ。

例えば、「D&Mピラミッド」と呼ばれる構造物がある。五角錐のピラミッド状構造物で、その5本の稜線《りょうせん》の辺や角度は、1：1・6。美術や建築で〝最も美しい

撮影された人面岩。近年、その中に眼球と歯があるという論文も発表された。

比率〟とされる「黄金比」を備えているのだ。

さらに、D&Mピラミッドの中央の稜線を延長すれば人面岩に突き当たり、ピラミッド手前には内部への入り口らしきものまで確認できる。造化のいたずらで、このような偶然が起こり得るだろうか。

また、特筆すべきは、やはりバイキング1号が撮影した、シドニア地区の火星ピラミッドだ。〝3基（あえて「基」と数えよう）〟の四角錐のピラミッドが、約200m間隔で並んでいたのだが……その配置はエジプト、ギザの三大ピラミッド[*34]とぴったり同じだったのだ！

火星さえあれば、文明は何度でも再生できる

しかし、なぜ火星に都市遺構だけでなく、ピラミッドまであるというのか？　疑問の答えは、「ピラミッドの正体」にある。

エジプトにあるピラミッドは、古代エジプトのファラオ（王）の墳墓、もしくは天文台、近年では公共事業施設などの説がある。

*34 **ギザの三大ピラミッド**
エジプト・カイロ近郊の都市ギザにある3基のピラミッド。クフ、カフラー、メンカウラーという古代エジプトの3人の王の墓とされる。また、ギザと火星のピラミッドはオリオン座の三つ星と一致しており、オリオンはエジプト神話の冥界の神オシリスと同一視される。これにはファラオの魂は死後、オシリスの元に還るという意味がある。

だが、それらでは説明のつかない不思議に満ちている。だいたい、あれほど巨大で正確な四角錐をどのように建造したのか、未《いま》だはっきりしていない。現代の技術をもってしても、造るのは難しい。

また、建設には相当な人員が必要で、それでも完成まで20年以上はかかる。人力で建てられたとは思えない。まぎれもなく、アヌンナキによるものなのだ。

その建造目的は、〝エネルギー装置〟にほかならない。

ギザの大ピラミッドの内部は帯電しており、さらにギザの台地には地球内部からの地電流が流れ、それがピラミッドに集中し、ピラミッドの頂点から電気を発生させるという。アヌンナキは、この電気エネルギーを宇宙船に利用していたと想像できるのだ。

さらに重要なのは、**ピラミッドはデータ保存装置の役割も担うこと**。パソコンにおけるハードディスク的な役割を果たすのだ。そこにアヌンナキの叡智ともいえる情報を保存したのだろう。

では、何のために保存する必要があるのか？

それは、〝いつでも文明を建て直せるようにするため〟だ。

地球ではポールシフトや氷河期による全球凍結など、環境の激変が繰り返される。このようなとき、地球上の生命体が絶滅の危機に瀕しても、保存されたデータから文明を再生できるのだ。

そして万が一、地球上のピラミッドが破壊されても問題がないよう、火星にピラミッドを建造し、バックアップ装置として、同じものを残していったと考えられるのだ。いや、火星そのものが〝第二の地球〟、つまり地球そのもののバックアップなのかもしれない。

人類は今なお「アヌンナキの思想」から抜けられない!

人類に植えつけた「崇拝」と「信仰」

アヌンナキが地球や宇宙に残したものは、形あるものだけにとどまらない。**それは、精神的なもの……〝神〟のように人智を超えた存在を祀《まつ》る「崇拝」と「信仰」だ。**

そもそもシュメール文明では〝神〟とされるアヌンナキだが、彼らはこれまで見てきたように宇宙人だ。われわれ人類を創り出したからこそ、人間から見れば神のような存在とされるにすぎない。

だから、アヌンナキたち自身も「最高神アヌ[*35]」と呼ばれる存在を崇拝し、信仰していた。

*35 **最高神アヌ**
アヌはシュメール神話では惑星ニビルの王であり、エンキやエンリルの父という説もある。

このアヌンナキによる神の崇拝と信仰がベースとなり、その絶対的な影響下にあったレプティリアンやレムリアンは、エンキやエンリルを神的なものとして敬う精神を受け継ぎ、形成していった可能性が高い。

なぜ、アヌンナキは崇拝と信仰を根付かせたのか。それは、**何らかの対象を信仰させることは、支配者にとって〝都合がいい〟**からだ。

あるコミュニティが形成されると、そのなかからリーダーとして上に立つ者が生まれるのは必然だ。

しかし、もともとは同じ仲間である。うまくいっているときは問題ないが、意見の食い違いやそれこそ単なる相性の違いひとつで歯車が狂い出すと、争いが生まれる。

このような齟齬を起こさないために、コミュニティに共通する何らかの崇拝の対象を信仰させ、そこにある種のルールを設ける。それだけで下の者を利用しやすくなるのだ。

実際、宇宙船ムーのレムリアンたちは、エンリルのスピリチュアルな精神を反映しているので、山や海、岩、木など、自然界の万物に魂が宿るというアニミズム信仰だった。その精神は、ムーが停泊していた周辺地域にも残されている。「日本には八《や》百万《およろず》の神がいる」という考えもまた、エンリルの影響を色濃く残している。

一方の宇宙船アトランティスが停泊していた大西洋側では、偶像崇拝、または一神教の地域が多い。これもまた、レプティリアンがそのようなものを信仰していた影響である。

なぜ、人類は今日も争いが絶えないのか？

このように現在の宗教は、エンリルのムーと、エンキのアトランティスの影響下に生まれたといえるだろう。そして、人類の歴史では、宗教が争いを生む大きな原因にもなっている。

何かおかしいと思わないだろうか？

エンリルとエンキは和解したはずなのに……。

その象徴としてドラコニアンが生まれ、彼らは日本から世界に散っていったはずなのに……。


それなのに、未だに人類は決裂し、争いつづけている！


ここに未だ、ムーとアトランティスの思想は息づいているのだ。

スピリチュアルのエンリル、テクノロジーのエンキの思想の決裂が！


ドラコニアンはたしかに、レプティリアンとレムリアンの遺伝子、特徴を持つ。

だが、それは〝どちらの要素も兼ね備えている〟ということだ。これらが必ずしもバランスよく反映されるわけではない。いずれかの性質が強く顕現することもある。

そして……**特性が強く顕現したドラコニアンは、故郷を目指す**のだろう。精神文明を求めるドラコニアンは、レムリアン気質の影響でムーの影響下にあった太平洋側に。

技術[*36]、物質的なものを渇望するドラコニアンは、レプティリアンの血族としてアトランティスの管轄である大西洋側に広がっていった。

もともとスピリチュアルとテクノロジーは両立するものではない。その図式が、今の世の中に反映されているのだ。だからこそ、争いは絶えないのである。

そして現在、世界は物質的なものを求めがちだ。技術的な要素が優勢というのは、まさにレプティリアンの思想の反映である。

なぜ、そのような世の中になっていったのか？ その歩みについては、次章以降、語っていくことにしよう。

*36 縄文人（ムーのドラコニアン）のなかにもヨーロッパへと流れざるを得なかった人たちもおり、彼らはメソポタミアの地へと流れ、ウバイド人として文明を発展させた。しかしそこへ、高度な技術を持ち合わせたシュメール人が現れ、その土地を奪いシュメール文明を発展させた。ウバイド人はさらに西へと流れ、北欧の自然崇拝民族、ケルト民族となった。その土地に伝わる北欧神話のオーディンはエンリルを表し、アーサー王伝説に登場するアーサー王などはエンリルの血を濃く受け継いだ、アヴァロニアン＝牛頭族ともいわれている。

第2章

中世、近世に根を張った現代まで続く罰と陰謀

人類を導いた預言者は、一様に日本を目指した

神話に登場する半神半人の正体は人類と宇宙人のハイブリッドだった

前章では、現生人類の誕生に隠された真実を紐解《ひもと》いた。そして、古代日本の文明、日本語に宿る力について触れた。それ以外にも日本という国は、太古の昔より特別視されてきたのだ。

この章では、シン・人類史にとって最も重要な国である日本を起点に、各地の預言者たちの逸話、そして現代に繋《つな》がるさまざまな陰謀が生まれた中世から近世の人類の歩みを見ていこう。

*01 ヘラクレス
ギリシャ神話最大の英雄。ゼウスとアンフィトリュオンの妻・アルクメネとの子。ゼウスの妻・ヘラの憎しみから迫害を受けるが、12の難業を果たし、猛獣・怪物を退治。死後天上に迎えられて神になった。

*02 オーディン
北欧神話の最高神。嵐の神であったが、文化、軍事、死、知恵、詩、預言なども司る。

*03 ネフィリム
『旧約聖書』の「創世記」「民数記」などに現れる巨人。

世界の多くの民族、文明の神話には、共通する伝説が多数存在する。アヌンナキのように、天から地球（地上）に降りてきた神のような存在しかり、人類が一度のみならず何度も大洪水で滅ぼされかけた逸話しかり。**そうした類型のひとつが、〝半神半人〟の存在だ。**

世界各地の神話には、半分は神、半分は人の特性を持つ者が登場する。

例えば、ギリシャ神話の英雄ヘラクレス[*01]、北欧神話のオーディン[*02]などはよく知られたところだ。また、『旧約聖書』に登場する巨人ネフィリム[*03]も、その種族の名の意味するところは、「天から堕《お》ちてきた者たち」である。

彼らはいったい何者なのか。

その正体は、宇宙船ムーから地上に降りたアヌンナキ、もしくはアヌンナキと人類が交配や人工授精をして誕生した、いわば**宇宙人と人類のハイブリッドだ。**[*04]

このような半神半人の血統は、神話にとどまらず、人類史への移行期、グラデー

*04
ちなみに、彼らは身長が30m以上もあり、長寿だったアヌンナキの血を受け継ぐ。前章でお伝えしたように古代核戦争でだんだんと小さくなったレプティリアンとレムリアンの遺伝子を継ぐドラコニアンであるため人類より大きく、「巨人」として語られるのだ。そして代を重ねることで、巨人より寿命も短く、小さくなっていったのだろう。

ション上にある時代にも見られる。『古事記』で描かれる神武天皇[*05]や『旧約聖書』のモーセらがそうだ。神武天皇もモーセも身長は3mほど、寿命も120歳以上（モーセは580年以上生きたという説もある）。これらの逸話が残っているのも、彼らが半神半人だったからだろう。

さらにモーセについては、頭上に2本の光が射すキリスト教の聖画や彫像などがあるのだが、これは光ではない。2本の角だ。**アヌンナキのエンリルは頭に角を生やしていたが、その血統を如実に表しているのだ。**

そして、この血統はある意味、人類を導く役割を担ってきた。

モーセの絵画には光のような2本の角がはっきりと描かれている。

*05 **神武天皇**
日本の初代天皇。天孫瓊《に》瓊《に》杵《ぎ》尊の曾孫とされ、45歳のとき東征して大和を平定。紀元前660年橿《かし》原宮《はらのみや》で即位したと伝えられる。

預言者モーセが声に導かれて目指した地は日本だった

エンリルの血統がいかにして人類を導いてきたか。モーセを例に見てみよう。

彼は「神の声を聞き、その言葉を人々に伝える」、いわゆる預言者だった。彼が聞いた神の声とは、エジプトに支配されていたイスラエルの民を救い〝約束の地カナン[*06]〟に連れて行くよう命じるもの。その言葉通りにイスラエル人を率いてエジプト脱出を試みるも、エジプト軍に追われ、海に行く手を阻まれる。この危機に、モーセが神から授けられた杖《つえ》を掲げると、海が左右に割れ、エジプト軍から逃れることができた――これが、よく知られる「出エジプト」のあらましだ。

預言者モーセが聞いた神の声の主は何者だったのか。ユダヤ教の絶対神ヤハウェ[*07]だったとされるが、その実体は、おそらくエンリルだろう。モーセは、エンリル自身が宇宙から授けた声に導かれて動いたか、もしくはモーセに受け継がれた血に刻まれた使命に自《おの》ずと動かされたのだろう。

*06 カナン
パレスチナ地方の古代の名称。『旧約聖書』で神がイスラエルの民に与えると約束したとされる地。

*07 ヤハウェ
『旧約聖書』におけるイスラエルの最高神。ヤーベ、エホバとも。

では、その後モーセはどうなったのか。

モーセはカナンを目指すなかで、シナイ山と呼ばれる場所で神から「十戒」の刻まれた石板を授かった。十戒とは、イスラエルの民が神の祝福を得るための10からなる戒めのことだ。このとき、神の命令で十戒石板を納めるために作られたのが「聖櫃《せいひつ》（アーク）」だといわれている。

モーセ一行は聖櫃を担ぎながら旅を再開。カナンに達する前にモーセは亡くなってしまったが、モーセの後継者ヨシュアが一行を率いて旅は続いた。その間、聖櫃はさまざまな奇跡を起こしながら、40年という長く険しい放浪の旅の末、イスラエルの民は無事、カナンに導かれた。

——ところが、ここに別の話もある。モーセは十戒を授かった後、**日本を訪れていた**というのだ。

否定できないモーセの訪日伝説

「まさか！」と思われるだろう。しかし、そのことを示す文献がある。『竹内文書』だ。これは、１９２８年に竹内巨麿《たけうちきよまろ》という人物が世に出した、５世紀末ごろに武烈天皇の勅命でまとめられたとされる、宇宙創生からの歴史が綴《つづ》られた古文書だ。

それによれば、３２００年以上前、モーセはシナイ山から天空浮船《あめそらうきふね》という空飛ぶ船に乗り、現在の石川県、能登の宝達に降り立った。

そして、時の天皇である不合朝《あえずちよう》第69代神足別豊耡《かんたるわけとよすき》天皇に十戒石板を献上。その娘である大室姫を娶《めと》り、12年間、神道の修行に励んだ。天空浮船で世界に十戒を広めた後、再来日を果たし５８３歳の長寿を全うした。

おわかりのように、この内容は荒唐無稽でとんでもない話に満ちている。そのため『竹内文書』は一般には「偽書」とされている。**しかし、すべてを簡単に否定できるものではなく、なかには真実も含まれていると考えられる。**

例えば、天空浮船のような空を自在に移動できる乗り物。これは宇宙船と解釈できる。第1章でも紹介した、インド二大叙事詩『マハーバーラタ』『ラーマーヤナ』をはじめ、このような古代の飛行機械が神話に登場するのは珍しいことではない。いわずもがな、**アヌンナキの技術がモーセに与えられていた**ということだ。

また、モーセは宝達山の麓、三ツ子塚に葬られたとされるが、そこからは埴輪《はにわ》などが出土している。これは古墳＝墓があったことを示唆していると見て間違いないだろう。

さらに、ここは山伏たちの修験道の通り道だったともいわれ、モーセが神道修行をしていたことに倣《なら》って修行していた可能性もある。

ほかにも、地元には「平林」という地名があるが、これはもともと「へらいばやし」と読んでいたかもしれない。そう、「へらいばやし＝ヘブライ」だ。

モーセが目指した「カナンの地」とは、現在のパレスチナといわれているが、こうなってくると、「ひょっとして日本だったのではないか」とすら思えてならない。

だからこそ、聖櫃を日本に届けに来たのである。

実際、聖櫃は徳島県の剣山に隠されたという話もあるくらいだ。そして、これを模したものが、日本の神輿《みこし》の原型になったともいわれているのだ。

イエスは処刑を逃れ、日本で余生を過ごした

モーセと同じように、イエス・キリストもまた、**アヌンナキを源流とする半神半人、宇宙人の血統**という説がある。そして、やはり日本を訪れていた！　根拠をいくつか紹介していこう。

まずアヌンナキ（宇宙人）の血統についてだが、これがわかりやすいのは、イエスの出生の秘密を描いた聖画だ。なんとＵＦＯを描いたと思《おぼ》しきものが数多く存在する。

とりわけ注目すべきは、『聖エミディウスを伴う受胎告知』[*08]という祭壇画。ルネサンス期の画家カルロ・クリヴェッリが、イタリアのサンティッシマ・アンヌ

＊08 聖エミディウスを伴う受胎告知
イタリアのルネサンス期の画家カルロ・クリヴェッリによる作品。

ンツィアータ教会のために制作したもので、『新約聖書』での聖母マリアの受胎（イエスを宿した）場面が描写されている。画面をななめに二分割するように天から屋内にいるマリアの頭上にかけて、聖霊による妊娠を表現した光線が描かれているのだが、その光線は〝円盤〟のようなものから発せられているのだ。

この円盤は、一般には聖霊の後光とされるが、UFOと解釈できないだろうか。**すなわち、マリアが宇宙人にアブダクションされた様子だ**、と。

現に「屋内でUFOにアブダクションされた」と証言する人の多くは、「建物の外で奇妙な光が輝くのを見た」と語って

『聖エミディウスを伴う受胎告知』。建物の間の空から一筋の光が差している。

いる。マリアはこの後、UFO内で人工授精のような形で、宇宙人と人間の遺伝子を宿した――この絵は〝処女懐胎〟の真実をわれわれに語りかけている。

もうひとつ、モーセ同様、イエスも日本を訪れていたという説についてはどうか。

よく知られるイエスといえば、30歳で洗礼を受け、神から「私の愛する子、私の心に適《かな》う者」との言葉を授かり預言者として目覚める。そして悪魔の誘惑に打ち勝ち、「キリスト」となる(「キリスト」とは救世主の意)。

その後数々の奇跡を起こし、ユダヤ教の腐敗を告発、教えに異議を唱える。このことから彼は異端とされ、ゴルゴダの丘で十字架の磔刑《たっけい》に処されるも、その3日後に復活を果たし、40日間で弟子たちに教えを伝えると、肉体を伴ったまま昇天した……。

ならば、イエスはいつ日本に来ていたというのか。

実は『聖書』には、イエスの12歳以降、30歳以前の記録がどういうわけなのか〝ない〟のだ。そして、**『竹内文書』には、イエスが〝空白の18年〟の間に日本に渡っていたことが記されている。**

イエスが訪日したのは21歳のとき。モーセが聖櫃を隠したという剣山で12年間にわたり神道を学び、修験道の修行を積み、33歳で帰国したという（30歳と33歳で年齢にズレがあるのは、あくまで〝諸説〟の誤差ともいえるだろう）。

また、一説によれば、イエスは空白の期間にインドで修行をしたともいう。

仮にこの説が本当であれば、「日本への経由地」としてインドで数年を過ごしたと考えれば辻褄《つじつま》も合うのだ。

さらに『竹内文書』は、『聖書』と異なる内容を伝えている。

ゴルゴダの丘で処刑されたのは弟・イスキリであり、イエス本人は日本に戻り、名を[*09]十来太郎大天空《とらいたろうだいてんくう》と改め、106歳まで余生を送ったという。

その証拠ともいえる墓が、イエス終焉《しゅうえん》の地、青森県新郷村にある。この村はかつて「戸来村《へらいむら》」という名前だった。そう、「戸来」は「ヘブライ」とも読むことができるのだ。

それだけではない。同村には「ナニャドヤラ」という盆踊りの歌が伝わるが、その歌詞はヘブライ語がルーツで、唯一神ヤハウェを讃《たた》えるものだという。

また、幼児の額に十字を書く風習、イエスの娘の嫁ぎ先とされる沢口家の家紋がユダヤのシンボル五芒星《ごぼうせい》など、その例に事欠かないほどだ。

[*09] 十来太郎大天空
「十来太郎大天空」の「大天空」は転じて「大天狗《だいてんぐ》」。イエスは修験道の修行を行っていたので、天狗が修験僧の姿なのはここに由来するのかもしれない。また、天狗の鼻が高いのも、イエスがユダヤ系のためか？

さて、ここで大きな疑問が残る。なぜ、イエスは最後の地に青森を選んだのか？

実は青森には、日本近辺に宇宙船ムー＝ムー大陸があった以前から、文明が存在したと考えられている。いわば地上最古の文明だ。おそらくムー[10]から地上に降りていた者がいたのだろう。

実際新郷村には、5万年前のピラミッドとされる「大石神ピラミッド[11]」がある。イエスはこのピラミッドから何らかの叡智《えいち》に触れるため、この地にとどまったのかもしれない。

和解の地、多神教……預言者たちを惹《ひ》きつけた日本の力

預言者であるモーセやイエスは、その生涯で日本を目指した。

日本を目指した預言者は、この2人だけに限った話ではない。**イスラム教のムハンマドや仏教の釈迦《しゃか》など、錚々《そうそう》たる預言者が、東へ東へと、日本を訪れていたという。**

突き詰めれば、神武天皇も「神武の東征」で語られるように、日本にありながらさら

*10 ムーを降りていた生き残りとは、レムリアンであり、蘆屋《あしや》族といわれる鬼の一族だろう。アシアトウアンという族長のもと、カタカムナを守り抜いた。なお後に、安倍晴明のライバルとして歴史からその姿を消した芦屋《あしや》道満という陰陽師がいるが、彼は蘆屋族の血を引く者だったと考えられている。

*11 **大石神ピラミッド** 自然の地形を利用して、頂上に巨石を配置したピラミッド。5万年前のピラミッドだと伝えられている。

に東を目指した。まるで、抗《あらが》えない磁力に引き寄せられるように！　故郷に帰ろうとするかのように！

その理由は、第1章でも述べた通り、日本がドラコニアン＝人類の祖が生まれた**〝和解の地〟**だからにほかならない。

なぜアヌンナキたちが、日本を和解の地としたかには、単に日本近辺に宇宙船ムー＝ムー大陸があったからだけではない。

アヌンナキは金の採掘を目的に、ニビルから地球に訪れたことを思い出してほしい。そして日本は「黄金の国ジパング[*12]」とも呼ばれるように、金などの資源が豊富に眠る地だった。つまり、アヌンナキをも引き寄せる地だったのだ。その血を引く〝半神半人〟の預言者が引き寄せられるのももっともだ。

さらに、大石神ピラミッドが示すように最古の文明の地であるだけでなく、ムーから降り立ったばかりの人類により、縄文時代から最古の文字を持つ文明が築かれた地でもある。そこでは、エンリルの志向する自然崇拝、自然信仰により発祥した神道の精神が息づいていた。**この精神を預言者たちは重要視し、神道を学ぶために来たとい**

*12 **黄金の国ジパング**
13世紀末、マルコ・ポーロが『東方見聞録』のなかで日本を黄金の島として紹介したことに由来する。

うことでもある。

預言者の旅立ちの地では、和解の地である日本の自然崇拝に根ざした「多神教」とは異なり、当時は「一神教」だった。これは、字面こそ〝一神〟教だが、実際はいろいろな神がいても、そのなかで〝ひとりの神〟が頂点に立ち、善も悪もひとりの神が司《つかさど》る、ヒエラルキーのある宗教だったのだ。

この状況を打破するため、救世主となるべく使命を帯びて現れたのが、預言者なのだ。

だからこそ、預言者[*13]**は日本で神道を学び、帰国後に一神教のおかしさを指摘し、救世主として、改めさせようとしたのだろう。**

また、日本には、モーセが届ける役割も担った聖櫃をはじめとするアヌンナキの聖遺物があった。これをその後の預言者たちは求めるなり、その力に触れるなりするために日本を目指したという推論も成り立つだろう。

*13　預言者のエピソードの補足として、神武天皇の逸話を紹介したい。神武天皇とは、奈良時代に名付けられたものであり、本来の名前は神日本磐余彦《かむやまといわれひこ》天皇《すめらのみこと》。天皇という称号が用いられたのも、天武天皇の時代からであり、古来はスメラミコト、大王と呼ばれていた。神日本磐余彦の「イワレ」とは、『日本語古語大辞典』では「岩村または岩群の意」としており、神が依代とした「磐座」を表す。『先代旧事本記』には古来、磐座信仰として崇められてきたのが、瓊瓊杵《ににぎの》尊《みこと》が天孫降臨する前より、大和の地に天の磐舟に乗って天孫降臨した

アイヌ、ネイティブアメリカン両者に見られる驚愕《きょうがく》の共通点とは

預言者によって以外にも、世界に日本発祥の自然信仰が広まった話を補足しておこう。

先ほどイエス終焉の地として触れたように、青森には世界最古の文明があり、イエスも重要視していた。だが、現在はピラミッドなどわずかな痕跡を残す程度で、かつての文明の息吹《いぶき》を感じることはできない。どうやら、「長い歳月の間に、その文明の継承者たちは迫害されていったのではないか」と思えるのだ。

そのような人々だったのが、青森にもともといた[*14]アイヌ民族ではないだろうか。

彼らは〝最古の日本人〟とされている。自然信仰のなかで育まれた人間性や精神性を持ち、一種の超能力ともいえる冴《さ》え渡った感覚を備えていた。

だが、日本に少しずつ渡来人がやってくるようになった影響で、日本から追いやら

饒速日尊《にぎはやひ》であると記されている。その証拠に大阪府に位置する磐舟神社は「天孫降臨の地」で、饒速日を祭神として祀っている。速日とは「素早く落ちてくる巨大な火球岩」を表し隕石の意味であると推測される。その点も磐座信仰と繋がっており、神日本磐余彦とは饒速日のことであり、初代神武天皇とは饒速日のことなのである。一般的に初代神武天皇といわれるのは、実は2代目であり、饒速日から国を奪い、饒速日の名を奪い、大和を統治したのだと筆者は推測している。

そして、この饒速日こそ、ノアの方舟に乗ったノアではないのだろうか。大

れることもあったのだろう――彼らのなかには渡来人と入れ替わるように日本の外へ移動する者が現れた。そして海を渡り、陸を進み、遠くへ、遠くへと……**その一部がアメリカ大陸へ渡り、ネイティブアメリカンへと姿を変えていった**のかもしれない。

これはよくいわれるように、日本人とネイティブアメリカンの容姿が似ているから、そして同じく自然信仰だから……というこじつけのような話ではない。アイヌ民族と、ネイティブアメリカンが自分たちを呼ぶ名前には、ともに「人間」という意味がある。**「自分たちは『神＝アヌンナキ』でも、レプティリアンの血を濃く受け継いだ側のドラコニアンでもない」**という宣言をしているのだ。

さらに驚くべきことに共通する〝言葉〟が数多く見られる。

洪水が静まった後、ノアは鳩を放った。しかしその鳩は戻ってきた。その後彼は大鴉《おおがらす》を放った。すると鴉は戻ってこなかった。その鴉を追ってやってきたのが饒速日であり本当の神武天皇なのだ。そして大鴉とは八咫烏《やたがらす》である。

*14 **アイヌ民族**
主に北海道に居住する先住民族。アイヌ語をはじめ、独自の宗教観、古式舞踊、工芸品など、固有の文化を持つ。

例えば、2012年の終末予言で注目された「ホピ族」[*15]。彼らは、日本神話の素盞《すさのお》嗚尊《のみこと》の子、天穂日命《あまのほひのみこと》の末裔《まつえい》だとされる。

また、「オサゲ族」という部族がいるが、彼らは髪型が本当にお下げ髪なのだ。しかも『古事記』や『日本書紀』に登場するような、飛鳥時代風の角髪《みずら》という髪型に結っている（イメージしやすいのは、聖徳太子の肖像の両脇にいる人物の髪型だろう）。ほかにも、「ナバホ族」なら、いろいろな穂が生い茂っていた場所に住んでいた民族だからとか、「カタウバ族」[*16]なら、「語る婆さん」からとか。

『竹内文書』には、これらの名称は、天皇がアメリカ大陸を巡礼しているときにつけていった話も記述されているという。

また、ホピ族のように予言を多く残している民族は、神（アヌンナキ／エンリル）の血統であり日本の天皇の末裔として、自然崇拝を大切にし、神託として受け取ることができたからだとも考えられるのだ。

*15 **ホピ族**
アメリカ・北アリゾナに住むネイティブアメリカンのひとつ。スペイン、アメリカからの影響が少ないため、伝統宗教や民族文化を保持している。

*16
縄文時代は母系社会であり、女性が族長であった縄文文化を受け継ぐネイティブアメリカンであることもこの語源に繋がっている。

意図的に捻《ね》じ曲げられた宗教の陰に見える思想

なぜ「十字架にかけられたイエス」が祀《まつ》られているのか？

話を戻そう。もともと預言者たちは、一神教のあり方に疑問を感じ、自然崇拝の精神を学ぶべく日本にやってきた。

ところが、何か「おかしい」と感じないだろうか？

現在のキリスト教を例にとれば、これはまさに一神教の典型のひとつだ。偶像崇拝も許されている。もともとイエス自身が開いた宗教ではなく、イエスの教えを継いだ者たちによって開かれたとはいえ、自然崇拝を学んだイエスの考えと反しているのではないだろうか。

考えてもみてほしい。そもそもキリスト教では、〝十字架にかけられたイエス・キリスト〟が長きにわたって祀られている。ここにも違和感を覚えないだろうか。

そう、祀られているのは処刑された場面なのだ！ つまり、〝恥ずべき姿〟ではないのか。そのような姿を、イエスの教えを受けた者たちが望んで掲げるというのは、どういうことか？

考えられることはひとつ――イエスの教えに**〝何者か〟の手が加えられている**ということだ！

では、それは何者なのだろうか？　答えは、〝マルドゥク〟が握っている。

信仰を捻じ曲げる神への反逆者

マルドゥクは、アヌンナキの知恵の象徴エンキの血統。いわば、アトランティス[*17]の系列にある。

マルドゥクは古代バビロニアにおいて、都市バビロン第6代王ハンムラビ王[*18]によって、最高神と崇《あが》められた。そしてハンムラビ王は、マルドゥクの言葉を伝えるための伝令者となり、その力を利用してメソポタミアを統一。マルドゥクの命令によって、メソポタミア各地に30か所以上の「ジクラット[*19]」(高い所)と呼ばれる聖塔を築かせた。このジクラットと繋がるのが、『旧約聖書』「創世記」の「バベルの塔」の挿話だ。

その概略はこうだ——かつての大洪水の際、方舟《はこぶね》で助かったノアとその家族によって、神の命令で新たな人類の創り直しが始まった。しかし、ノアの息子のひとり、「ニムロデ」だけはその命令に背き、メソポタミアに定住。その地で人々を先導し、神にも届く塔を築きはじめた。この思い上がった行為に怒った神は、人々が二度と同じこ

*17
余談ながら、この時点でイエスが学んだ自然崇拝の大本、ムーのエンリルと相反する立場であることが感じられるのではないだろうか。

*18 ハンムラビ王
バビロン第1王朝第6代の王。全バビロニアを統一し、ハンムラビ法典を制定した。

*19 ジクラット
メソポタミア、イラン西部のエラムの神殿にある山をかたどった聖塔。塔上には神殿がある。

とを繰り返せないよう、言語[20]を混乱させ、意思疎通ができないようにした。

つまり、**塔の建設を主導したニムロデは、自身の名声を高めようと、エンリルに反逆したことになる。**

そして、彼こそマルドゥクと同一視されているのだ。エンリルとエンキは和解したが、思想は真逆と何度も述べた。エンキの系譜にあるマルドゥクが従うはずもないということだろう。

ここから、神の反逆者＝悪魔ともいえるマルドゥク信仰が始まる。マルドゥクは本来エンリルの別称でもあった豊穣《ほうじょう》の神「バアル」を名乗りはじめた。さらに、

欧州連合（EU）の議事堂は、このバベルの塔を模して造られている。

*20 話を補足すれば、バラバラになる前の言語は、最古の言語でありアヌンナキの言葉＝古代の日本語だったのだろう。そして、バベルの塔に怒った神とは宇宙船上のエンリルだったと考えられる。

古代ローマのミトラ教[*21・22]（ミトラス教、ゾロアスター教）の太陽神「ミトラ」など、生贄《いけにえ》を捧げさせる神として、一神教の宗教を書き換え、すり替えていったのだ。

だれがイエスの教えを書き換えたのか？

さあ、話をキリスト教に近づけていこう。キリスト教には、マルドゥクの影響があからさまに見えている。

古代バビロニア周辺では、「ダゴン」という魚型の水の神がいた。このダゴンは、人間に大いなる知識を与えた神ともいわれている。知恵の神といえば、エンキだ。魚には鱗《うろこ》があるが、鱗を持つ点でもエンキに通じる（もちろんレプティリアンにも！）。そして魚はまた、バビロニア王国では、ニムロデのシンボルとしても崇拝されていた。

この魚をかたどったものを、頭上に掲げている人物がいる――キリスト教カトリック教会最高位、バチカン市国のローマ教皇だ。ローマ教皇は、魚の神ダゴンを想起させる被り物、その名も「〝ミトラ〟ハット」を被っているのだ。そもそもバチカンの神の崇拝の仕方は、バビロニア王国と共通するともいわれ、その影響を示している。

***21 ミトラ教**
太陽神ミトラを信奉する密儀宗教の一派。キリスト教が広まる前はローマ帝国で最も盛んな宗教だったが、キリスト教の布教とともに後退。

***22**
ローマをキリスト教に譲る代わりにミトラ教の信者たちに「密かにキリスト教にミトラ教の慣習を取り入れるから納得してくれ」と説得して生まれたのがクリスマスである。12月25日はイエスの誕生日ではなく、ミトラの誕生日であり、ニムロデの誕生日でもある。そしてミトラとは自由の女神のことであり、アメリカにある自由の女神像

これで、すべてが繋がったのではないだろうか。イエスの教えに手を加えた〝何者〟かの正体。それは、キリスト教発祥の地とは異なりながらも、総本山を謳《うた》う――バチカンにほかならない！　どの時点からだったかはわからないが、**バチカンがキリスト教を牛耳るために、マルドゥクの影響のもとにイエスの教えを書き換えたのだろう。**

だが、早まってはならない。そのバチカンのキリスト教も、その後、時を重ねるとともに、〝ある血統〟に入り込まれ、操られている可能性がある――大きな宗教勢力は、ひとつのコミュニティをまとめ上げるのに都合がいいものだからだ。そういう意味では、キリスト教はまさに人々を先導するのにもってこいだった。

その血統は、宗教のみならず、**現在に至るまで世界のすべてを裏から動かしている！**

それは、いったいだれなのか？　そのヒントもまた、マルドゥク同様にエンキの系譜にある。次項で順に述べていこう。

はフランスのフリーメイソンがアメリカのフリーメイソンに贈ったもの。

〝陰謀〟の大本はここに！友愛団体フリーメイソンが持った過度な影響力

富と権力、すべてを手に入れたテンプル騎士団を待ち構えていた悲劇

〝世界のすべてを裏から動かしている〟と聞いて、あなたは真っ先に「秘密結社フリーメイソン」をイメージするのではないだろうか。インターネットやテレビなどのメディアを通じて名前を聞いたことはあっても、いったいどのような組織なのかいまいち理解できていない人も多いだろう。

フリーメイソンとは何か？　源流はキリスト教の騎士団である。その成立の足跡を

追ってみよう。

1099年、キリスト教徒は十字軍[*23]の遠征により、イスラム教徒の支配下にあった聖地エルサレムを奪還。しかし、治安は不安定であり、キリスト教の巡礼者の安全を守るために、**1118年に平和を目指す武装修道会として組織されたのが「テンプル騎士団」だ。**

やがてテンプル騎士団は、数次におよぶ十字軍での活躍もあり、ヨーロッパ全土で大変な支持を集めた。バチカンから国境の自由通過、課税免除などの特権を与えられ、さらに各国の王族、貴族、信徒から多額の寄進を受けた。最盛期にはヨーロッパの金融界の頂点に昇り詰め、その富と権力は莫大《ばくだい》なものとなった。

実はその背後では、**バチカンも追い求めていたとされる聖遺物「キリストの聖杯」をソロモン神殿跡地から探しだし、所有していたのではないか**といわれている。

というのも、同時期に同じように結成された武装修道会はあったが、テンプル騎士団ほどその力を強めたものはない。テンプル騎士団は、聖杯[*24]の力で驚異的な成長を遂

*23 十字軍
11世紀末から13世紀にかけて、西ヨーロッパのキリスト教徒義勇軍が東ヨーロッパ、中近東各地に向けて行った軍事遠征の総称。聖地エルサレム回復が目的。

*24
キリストの聖杯により力を得られた理由は、キリストがヒューメイリアン（人間と宇宙人のハイブリッド）であり、宇宙意志を受け継ぐ者であるからと考えられる。キリストは天啓を受け取ることができたため、聖杯を手に入れれば全世界の人類・組織を扇動できる可能性もあった。

げたとも考えられるのだ。

ところが、十字軍はイスラムに敗れる。テンプル騎士団も時の総長ジャック・ド・モレーに率いられ、エルサレムからキプロス島へと去ったが、莫大な富と権力は有したままだった。これが財政難にあえぎ、テンプル騎士団から借金もしていたフランスの国王フィリップ4世の目にとまる。

当時のバチカンのローマ教皇は、フィリップ4世の支援でその座についた人物だったこともあり、ともに結託。テンプル騎士団が「バフォメット」[25]と呼ばれる悪魔を崇拝しているなどの噂《うわさ》を広め、ド・モレーら騎士団の重要人物たちを宗教的犯罪者として逮捕。激しい拷問で、「悪魔崇拝をしていた」と自白を強要させ、生きたまま火あぶり[26]の刑に処した。テンプル騎士団に悪魔崇拝の事実などなく、完全に冤罪《えんざい》だった。

強固に受け継がれた「Dの意志」は平和への希望だった

ド・モレーの処刑後、テンプル騎士団は壊滅。莫大な財産は、フィリップ4世の思

*25　バフォメットはもともと悪魔ではなく、豊穣神だったが、「テンプル騎士団が悪魔を崇拝していた」と印象づけるために悪魔のような肖像に描き換えられた。

*26　ド・モレーが逮捕された日は1307年10月13日金曜日。後にモレーは火あぶりの刑に処されるなか、「フィリップ4世らを呪い殺す」と言ったため、キリスト教では「13日の金曜日」が不吉な日といわれるようになったという。

惑通りにフランスの国庫に入った。

では、肝心の「キリストの聖杯」をバチカンが手に入れたのかというと、そうではなかった。

実はド・モレーは自分が処刑されることに感づいており、逮捕される前に聖杯をスコットランドに隠させていたという。そして、テンプル騎士団はもともと造船技術に長《た》けていたこともあり、生き残った者の一部は海に逃れ、海賊として旅立った。

彼らは旅立ちの前に、ド・モレーの遺骨を掘り返したときに頭蓋骨と骨がふたつ、クロスするような形になっていたのを見たことから、その様子を船の帆に掲げた――そう、海賊旗でお馴染《なじ》みの「ジョリー・ロジャー」の由来はここにあるのだ。

海賊となった者たちは、スコットランドに隠された聖杯を入手。**ド・モレーの意志を継ぎ、〝イエス本来の教え〟＝既存の権力者からの支配を脱却し、自由や安全が侵害されない平和の実現の志を守る決意をする。これが、都市伝説で有名な「Dの意志」である。**

つまり、ド・モレーの「ド＝D」なのだ。

実はテンプル騎士団の歴代総長の多くは「D」が名前に入っていた。騎士団創設時のリーダーだったユーグ・ド・パイヤンも「D」が名前にあるので、テンプル騎士団の系譜そのものを受け継いでいるという意味もあるのだ。

フリーメイソンの誕生と意図せぬ〝変容〟

海賊として生きた彼らは、やがてスコットランドの石工たちと情報交換をし、交流を重ねていった。

石工たちは、徒弟制度の組合（ギルド）を作っていた。そこでは門外不出で、あらゆる知識や思想が受け継がれ、相互扶助の精神が育まれていたという。また、そうした知識、思想、精神は仲間内だけで通じる秘密の合図や合言葉で伝えられていた。

こうした石工の組合に、Dの意志を受け継ぐ者たちが交わっていくなかで、成立していったのが「フリーメイソン」である！

現在のフリーメイソンのシンボルマークに、定規とコンパスなどの建築道具が使われているのも、石工の団体を象徴しているからだ。そもそもフリーメイソンという名前は「自由な石工」という意味がある。

また、「プロビデンスの目」[*27]（万物を見通す目）といわれるキリスト教の摂理を表した意匠も、同様にシンボルとして用いられている。

やがてフリーメイソンは、「自由・平等・博愛」の思想のもと、規模を拡大していく。これが転機をもたらした。**1700年代には、石工だけでなく、学者や知識人、さらには王族、貴族、資産家までもが参加するようになったのだ。**この

アメリカの1ドル紙幣に描かれたプロビデンスの目（左）、フリーメイソンのシンボルマーク（右）

***27 プロビデンスの目**
アメリカの1ドル紙幣や国章の裏面などに用いられていることでも有名。

ことにより、もともとは「親方」「職人」「徒弟」の３位階からなっていたフリーメイソンは、位階を重ねていき、現在では33位階を最高位とするまでになる。

この知識人や権力者、資産家の参入によって、当初、受け継がれた「Dの意志」は捻じ曲がっていく。友愛団体でもあったフリーメイソンは**政治的な影響力を増した組織に変貌していった**のだ。

王侯貴族らから危険視された33位階の頂点に君臨するイルミナティ

フリーメイソンとともに、陰謀論や都市伝説では必ず名前が挙がる組織に「イルミナティ」がある。

イルミナティは、もともとは1776年にバイエルン王国（現在のドイツ）で、法学者、哲学者だったアダム・ヴァイスハウプト[*28]によって設立された政治的秘密結社だ。

*28 **アダム・ヴァイスハウプト**　法学者、哲学者。インゴルシュタット大学の教会法教授。宗教にとらわれない学問の自由を求めるためにイルミナティを創設した。

正式名称は「バイエルン啓明結社」。

ヴァイスハウプトはカトリックの信者だったが、学問を究めるにつれ、イエズス会の反科学的な姿勢に不満を持つようになり、古代エジプトの神秘学やこの世を作った神は悪で、アダムとイブに知恵の実を与えた蛇こそが善であるというグノーシス主義などを学んだ。その後、オカルティストへと変貌していき、イルミナティの前身である「完全論者の教団」を設立。

完全論者の教団は当時、ヴァイスハウプトの友人や弟子などの3人しか入会していなかったが、イルミネイション、つまりはルシファーによって、自身の力で意識や霊格を向上させ、より高いレベルに至ろうと考え、1776年にイルミナティを創設したのだ。

彼の思想に賛同する者は多く、入会条件も厳しくなかったため、一般市民や下級貴族らが多数入会し、レベルに応じた3つの位階が設けられていった。

しかし、シンプルなシステムだったためすぐに飽きられ、イギリスからもたらされたフリーメイソンへと人々の関心が移っていき、多くの入会者が退会した。

なんとか悪い流れを断ち切ろうと考えたとき、ヴァイスハウプトは高位のフリーメイソンだったアドルフ・フォン・クニッゲ男爵と出会った。

ヴァイスハウプトは早速クニッゲ男爵をイルミナティへと招き入れ、フリーメイソンに関する豊富な知識と情報を共有してもらい、結社の位階を13にするなどシステムを大改革。すると、貴族や政治家、高級官僚など多くの有力者が加入したのだ。

さらにヴァイスハウプト自身もフリーメイソンに入会し、メイソンメンバーを勧誘することで勢力拡大を図ったのだ。


こうしてイルミナティは急拡大した。

当初は啓蒙思想研究会だったものが、政治色が濃くなり、革命思想へと思想を変えたのだ。やがてヴァイスハウプトは、組織の拡大の立役者であるクニッゲ男爵すらもイルミナティから追放した。

その後イルミナティはイエズス会からも危険視され、弾圧された末に１７８６年に消滅した。これが大まかなイルミナティの歴史である。

しかし、イルミナティはそこで途絶えたわけではない。壊滅の危機を察したイルミナティは今もフリーメイソンの最高位として君臨し、世界を支配していると囁《ささや》かれている。

なぜ、イルミナティは秘密裏に存続することができたのか？

イルミナティにはロスチャイルドの金銭的バックアップを受けたという説があるのだ。

ロスチャイルドは、言わずもがな世界を支配する財閥として広く知れわたり、推定資産額は5000兆円ともいわれている。

ロスチャイルドによるイルミナティ支援の説の秘密を握るのは、『シオンの議定書』という奇書だ。

『シオンの議定書』は1905年にロシアで発見された。24の議定で構成されており、ユダヤ人による世界征服とユダヤ王国について、つまり新世界秩序を実現するためのプロセスが記されている。

その中身は、

「世界征服のためには国家、階級、世代、性別の対立を煽《あお》るべし」
「民衆に対し、戦争や革命、暴動などの社会不安を誘発せよ」
「メディアを利用した大衆の洗脳と思考力の低下の徹底」

などと記されている。

さらに1921年、イギリスの著名な著述家は自身の著書で、「世界中の出来事はすべて、秘密結社が企てた陰謀の産物である。その元締がイルミナティだ」と暴露している。

つまり、ロスチャイルドはヴァイスハウプトに資金援助をし、イルミナティを創らせ、シオンの議定書の項目の達成を目指したのだ。

姿を現した世界を動かす〝巨大な存在〟

闇の奥の奥で世界を動かす者がのし上がった超戦略的手法

では、フリーメイソンの内部に身を潜めたイルミナティの高位者とは何者なのか。
それこそが、人類の祖＝ドラコニアンのなかでも、アヌンナキ・エンキの思想を受け継ぎ、レプティリアンの血を色濃く反映した者たちである！

エンリルの系譜であり、ムーの民レムリアンの遺伝子を継ぐ者は、東、つまり日本を目指した。

同様に、レプティリアンの遺伝子を継ぐ者は、かつて宇宙船アトランティスのあったヨーロッパを中心に広がり、物質的なものを渇望し、満たされぬ欲望を糧に社会的に高い地位を築いていった。

このレプティリアンの血統が、Ｄの意志を受け継いだ友愛団体のフリーメイソンに目をつけ、捻じ曲げ、さらにイルミナティを乗っ取ったのである！

そのレプティリアンの中心にいると噂される一族のひとつが、ニムロデ＝マルドゥクの血統を名乗ることでも知られる、前出の**ロスチャイルド家**[*29]だ。

ロスチャイルド家は、もともとはドイツのユダヤ人移住区で暮らしていた、ごく普通の一族だった。だが、１７００年代にマイアー・アムシェル・ロスチャイルドが銀行業で成功。王族に資金融資などして、その繋がりを深めた。

さらに、マイアー[*30]は5人の息子をヨーロッパ各地の主要金融都市に送り込み、息子たちはそれぞれの土地で成功を収めた。ここに、世に知られるヨーロッパの一大金融帝国を築き上げたロスチャイルド家が誕生した。

*29 ロスチャイルド系の企業には、Rothschild Nemrod Diversified Holdings と「ニムロデ」をその名に冠した企業が存在するといわれている。

*30 マイアーは三男・ネイサンをロンドンに送り込み、その後も長男・アムシェルはフランクフルト、次男・ザロモンはウィーン、四男・カールはナポリ、五男・ジェームスはパリへと、ヨーロッパ各地に配置し、磐石な五極体制を築いた。ロスチャイルド家は「5本の矢」をシンボルにしており、これはマイアーの5人の息子のことを表

だが、彼らは単なる〝金貸し〟ではなかった。**イルミナティの会計係でもあったロスチャイルド家には、〝武器商人〟という側面もあったのだ。**彼らは、フリーメイソンを乗っ取り、裏から〝戦いをしかけ〟、武器を売ることで莫大な利益を得た。

よく知られることだが、**1789年に起こったフランス革命では、フリーメイソンが暗躍した。**革命のスローガンでもある「自由、平等、博愛」がフリーメイソンの理念ということからもそれは明らかであり、革命議会議員の大半はフリーメイソンだ。ロスチャイルドはフリーメイソンのトップ。イルミナティとしてどんどんコミュニティを増やし、準備ができたところで、この革命を扇動し、莫大な利益を得たのだ。

歴史に残るナポレオンの敗北は計画されたものだった

フランス革命後、皇帝に就任したナポレオンを利用してロスチャイルドはさらに飛躍する。

ヨーロッパ全土を手中に納めるほど、常勝将軍としてその名を高めていたナポレオンは、ハプスブルク家のマリー・ルイーズと結婚。ところがその後、それまでの快進撃が嘘《うそ》のように連敗が始まる。

１８１３年の「ライプツィヒの戦い」で敗れると、エルバ島へ島流しに。すぐに皇帝に復帰したが、１８１５年のイギリス、オランダ、プロイセン連合との、ヨーロッパの覇権をかけた「ワーテルローの戦い」で敗北。セントヘレナ島へ幽閉された。

だが、なぜナポレオンへの処罰は処刑ではなく「幽閉」だったのか？

その答えは、ナポレオンの妻・マリーにある。マリーはイギリスとの繋がりが深かった。当時財政難にあえいでいたイギリスの危機を救うため、ナポレオンは**マリーから、わざとイギリスに負けるように頼まれたというのだ。**

そもそもナポレオン自身がフリーメイソンだったともされ、この「わざと負ける」情報は、マイアー・ロスチャイルドの三男で、当時のロンドン・ロスチャイルド家の当主だったネイサンの耳にも入っていた。

そこで、ネイサンはワーテルローの戦い以前に、イギリス国債を売却。これを知った投資家たちもイギリス国債を売却し、イギリス国債は大暴落する。

しかしネイサンはその直後、紙くず同然となったイギリス国債を買い占める！　結果、ナポレオンは敗戦。イギリスの勝利によって、国債は暴騰。これにより、イギリスの多くの投資家と名門の家系が破産の憂き目にあったが、**ロスチャイルドだけは財産が2500倍に膨れ上がるという、多大な利益を得たのだ。**いわゆるインサイダー取引によって、ロスチャイルドは世界中の銀行を支配する財力を手にしたのである！

自分たちだけが勝者となる、金を儲《もう》ける――〝我欲〟に忠実なレプティリアンの特性がここによく表れているといえる話だ。

アメリカ建国、南北戦争、すべては出来レースにすぎなかった

さらにフリーメイソン＝イルミナティ＝ロスチャイルド家が歴史に大きく関与した、有名な話がある。それが、陰謀論ファンの間ではお馴染みだが、**「アメリカ合衆国はフリーメイソンによって建国された」**という話だ。

その証左は1776年の「アメリカ独立宣言」だ。イギリスから新大陸アメリカに渡った人々は、イギリスの不当な抑圧に耐えかねていた。

そこで、アメリカのフリーメイソンでもあったベンジャミン・フランクリンは、フランスのフリーメイソンを味方に引き入れることでイギリスからの独立を巡る争いに勝利。**その独立宣言には、フリーメイソンの理念である「自由、平等、友愛」が掲げられているのだ。**

なお、独立宣言に署名をした〝建国の父〟とされる56名のうち、53名がフリーメイソンのメンバーでもある。

ほかにも、[*31]アメリカがフリーメイソン国家であることを示す話でよく知られるのが、アメリカの1ドル札。1934年に発行されたものだが、ピラミッドの頂部に目がある「ピラミッド・アイ」が描かれている。これはもちろん、フリーメイソンの象徴、プロビデンスの目だ。しかも、ピラミッドの底辺には「1776」の数字が見られる。アメリカ独立宣言の年だが、同時に、イルミナティ創設の年でもある。

さらに、都市伝説めいた話を加えれば、イルミナティの創設者アダム・ヴァイスハウプトと、初代大統領となったジョージ・ワシントンは同一人物という説もある。

*31 独立100年の祝いの際には、フランス系フリーメイソンから、アメリカ系フリーメイソンに贈り物があった。それが「自由の女神」像だ。自由の女神が掲げる松明《たいまつ》には「光で照らす」という意味があるが、イルミナティにもまた、「光で照らす」という意味がある。すなわち、イルミナティの象徴でもあるのだ。

その後、1861年に南北戦争が起こる。黒人奴隷の解放を謳ったエイブラハム・リンカーン率いる北軍（アメリカ合衆国軍）と、ジェファーソン・デイヴィス率いる南軍（アメリカ連合国軍）の戦いだ。この戦いで注目すべきは、南軍の将軍である**アルバート・パイク**という人物だ。

彼はフリーメイソンの〝黒い教皇〟とも呼ばれ、イルミナティのトップでもあった白人至上主義者。白人以外の人種を劣等と決めつけ、「白人さえ幸せであればいい」と考える人物だった。そして、**彼が南北戦争を焚《た》きつけたのである！**

だが、われわれは知っている。この戦いの結果は、「黒人奴隷解放」を掲げた北軍、リンカーン側の勝利に終わったことを。

フリーメイソンは敗れたのか？　アルバート・パイクの思惑は潰《つい》えたのか？　いや、この敗北は〝計画通り〟だった！　**白人が優位になるように仕組まれた、出来レースだったのだ。**

たしかに、黒人奴隷が解放されたことで、白人至上主義を掲げるパイクは失敗したように見える。だが、ここで注視しなくてはいけないのは、イルミナティであるロスチャイルド家だ。

ロスチャイルド家は、北軍、南軍の両軍に武器、資金を援助していたのである。どちらが勝っても損はなく、さらに戦いが長引けば長引くだけ資金は必要になる。

そして、戦争が終わったときには、その賠償金で莫大なリターンを望める仕組みがあった。イルミナティであるパイクにとっても、自分の属する組織が莫大な利益を得るので、敗戦にメリットがあったのだ。

この結果、アメリカの資産のほとんどは、ロスチャイルド家に渡ったのである。

そして10年後の1871年、アメリカのワシントン市でコロンビア特別区基本法が可決されたことにより、アメリカ国内にありながら、コロンビア特別区という実質独立国のような自治権を持つワシントンDCが誕生する（構図的には、イタリア・ローマのなかのバチカン市国をイメージするとわかりやすいだろう）。

当時、中央銀行を持たなかったアメリカは、このワシントンDCに中央銀行制度であるＦＲＢ[*32]（連邦準備制度理事会）を設立した。これは政府機関ではなく、実は民間企業

*32　**ＦＲＢ（連邦準備制度理事会）**
連邦準備制度（ＦＲＳ）の最高意思決定機関。7人の理事から構成されており、「Federal Reserve Board」の略で「ＦＲＢ」。議長は世界経済への影響力が強く、アメリカ大統領に次ぐ権力者といわれる。民間銀行だが、決算は開示されない。

だ。その筆頭株主こそが、ロスチャイルドなのだ。

明治維新もあらかじめ計画されていた

アメリカの南北戦争と、歴史の裏側では非常に似たような構図を持つ都市伝説がある。日本の明治維新[*33]だ。これもまた、フリーメイソンによる筋書き通りの出来レースだった。

そもそも、日本開国の引き金役を担ったペリーはフリーメイソンの一員。**ペリー以上に注目すべきは、スコットランドから日本にやってきた、ジャーディン・マセソン商会の武器商人トーマス・グラバーだ。**もちろん彼もフリーメイソンである。

グラバー[*34]は、坂本龍馬に資金と武器を提供し、貿易会社亀山社中を作らせたことで、当時敵対していた薩摩《さつま》藩と長州藩を組ませて、幕府に対抗できる勢力としてまとめ上げさせたのだ。

一方、幕府側は倒幕後、戊辰《ぼしん》戦争まで明治新政府との戦いを続けたのだが、その武

*33 **明治維新**
1853年、神奈川県浦賀にアメリカの使節として、マシュー・ペリーが来航。鎖国政策をとっていた幕府に開国を迫る。その外圧に屈した幕府は不平等な条約を結ばされた。これに武士や民衆の不満が高まり、やがて薩摩藩、長州藩を中心とした勢力によって倒幕。約260年続いた徳川政権が倒れ、明治新政府が樹立し、日本は近代化に歩みだした。

*34
亀山社中は設立から3か月でライフル7800丁を入手。現在の金額にすると、169億円かかったとされ、資金もない脱

器はフランスからの提供を受けたものだった。

そして、**ジャーディン・マセソン商会とともに幕府に資金と武器を提供していたのは、ロスチャイルド家だったのだ！**　ロスチャイルドがアメリカの南北戦争で提供していた中古品の武器があった。これをロンドン系ロスチャイルドが薩長に、パリ系ロスチャイルドが幕府に売りつけ、両者のバランスをとりながら、戦いを長引かせることで利益を上げていたのだ。

ロスチャイルドとフリーメイソンの描いた絵によって、明治維新は進められていたというわけだ。もちろん幕府側を敗北させたのは、日本を近代化させたほうが後の支配を進めやすいからである。

つまり、明治維新を介して、日本はアメリカ同様、フリーメイソンの手中に落ちたともいえるのだ。

また、日本はムー大陸以来、預言者たちが訪れるエンリルの思想を根強く残す重要な場所。そこにエンキの思想を受け継ぐ者たちが押さえ込みを本格化させたという意味が、明治維新にはあるのだ。

藩した浪士の坂本龍馬に可能であったとは思えない。

陰謀論の定番「ロスチャイルド対ロックフェラー」の真相

さて、話を再びアメリカに戻そう。

ヨーロッパのみならず、アメリカ経済の中枢をも手中に収めたロスチャイルド家だが、アメリカといえば、もうひとつの超巨大財閥の存在を忘れてはならない。それが、ロックフェラー家だ。

ロックフェラーは、もともとはロスチャイルドと同じくドイツのプロテスタント出身の一族だ。アメリカに渡った後、１８７０年にジョン・ロックフェラーが石油利権を掌握し、スタンダード・オイル社を創業。当時、石油といえば中東かアメリカが採掘の場であり、ここを押さえたことで一族は世界に名だたる財閥として大躍進を遂げた。

当然、ロスチャイルドとぶつかることもしばしばであり、対立関係はよく語られるところだ。ただし、その対立とは表向きのものにすぎない。

ロックフェラーもまた、フリーメイソンであり、イルミナティだと知れば、その裏側が見えてくるのではないだろうか？　そう、両家とも〝白人至上主義〟〝金を儲ける〟という思想が根幹にある。同じベクトルにあるのだ。

そもそも、ロックフェラーはロスチャイルドによって、アメリカに送り込まれたのである。そして、ロスチャイルドが大きくなったタイミングと重なって、ロックフェラーのスタンダード・オイル社は急成長をしている。

両家が軋轢《あつれき》を持つように見えるのは、フリーメイソン＝イルミナティが仕組む〝出来レース〟の構図の一環でしかない。

そして、ロスチャイルドだけでなくロックフェラーもまた、イルミナティの〝一部〟であり、数々の出来レースは、彼らが〝構成員〟として行っているにすぎない。

世界を牛耳っているかのように見える彼らすらもメンバーとしている、フリーメイソンの奥に潜むイルミナティには、さらに〝奥の院〟が存在しているのだ！　それが、

三百人委員会である！

闇に260年潜んでいた絶対的支配階級・三百人委員会

三百人委員会に触れるため、少し時を戻そう。

その前身は、アジアとの香辛料貿易のために1600年代にイギリスをはじめとしたヨーロッパ各国で設立された、世界初の株式会社でもある「東インド会社[*35]」だ。1727年に、この東インド会社にかかわる王室、貴族、資産家、投資家ら有力者300人により、会議が設けられたのが原点である。つまり、三百人委員会の成立はイルミナティよりも古い。

彼らは東インド会社を通じて、アジアに植民地を広げていったのだが、そのときに目をつけたのが、アヘンだ。これは、ケシの実の果汁から作られる強力な中毒性を持つ麻薬。イギリスは本土でこのケシを育て、それをインドに運び、ほぼ原価もかけずに栽培していた。そしてアヘンに精製すると、中国に輸出。麻薬で人々を骨抜きにすることで、莫大な利益を上げていったのだ。もちろん、イギリスはこの麻薬の恐ろし

*35 **東インド会社**
17〜18世紀にイギリス・オランダ・フランス・デンマーク・スウェーデンで設立され、インド、東南アジアとの貿易、植民地経営を行った独占的特許会社。貿易権だけでなく、軍事権も有していた。

さを知っており、事実、国内にアヘンを入れることはしなかった。

三百人委員会は、相手国がどうなろうが関係なしに〝金儲け〟のためにアヘンを使って、植民地支配を繰り広げていったのだ。

まさに、悪魔主義的。レプティリアンの思想だ。

彼らがいつの時点でフリーメイソン、イルミナティを乗っ取ったのかは定かではない。しかし、三百人委員会の構成員でもあるヨーロッパの上流階級やロスチャイルドが、そもそもフリーメイソンの最高位イルミナティのメンバーでもある。これは推測でしかないが、イルミナティがフリーメイソンの内部にその根を張ったときに、同時に頂点に立ったのかもしれない。

この三百人委員会は成立こそ古いものの、その名が知られたのは近年のことだ。１９９０年代に、イギリス軍の秘密情報部ＭＩ－６[36]の諜報員《ちょうほういん》だったジョン・コールマン[37]博士による。彼は諜報員として、イギリスおよび世界各国の機密文書を閲覧できる立場にあり、三百人委員会の存在を知ると嫌気がさし、ＭＩ－６を退職、その情報の暴露に至ったという。

[36] **ＭＩ－６**
イギリスの情報機関。英国情報局秘密情報部（SIS＝Secret Intelligence Service）の通称で、「Military Intelligence 6」の略称。１９９３年、当時のメージャー首相がその存在を公に認めた。

[37] **ジョン・コールマン**
１９３５年生まれの元軍人。ＭＩ-６を退職後は１９６９年にアメリカへ移住し、国籍取得。工作員による脅迫を受けながらも、長年にわたり三百人委員会を調査しつづけた。

では、コールマンに辞職まで決意させた、その内容とはどんなものだったのか。
三百人委員会[*38]はアヘンを使い始めたころから、世界を自由に操り、利益を得ることに味を占めていた。そしてイギリスやアメリカの政府中枢にまで食い込み、私利私欲のため、世界を支配するために戦争すらも引き起こしていたというのだ——その戦争とは、**ふたつの世界大戦**である。

*38 彼らのなかに潜む王家（スイスの一族であるシェルバーン家）はロスチャイルドやロックフェラーに金を貸し、彼らを操り、時に結託、時に争わせて世界を動かしている。いわばロスチャイルドを奴隷として扱う者で三百人委員会に隠れている、もしくはその上の存在として君臨しているといわれている。

第3章

あらかじめ仕組まれた3つの大戦と日本の弱体化

大戦前夜、権力の暴走が始まった!

名だたる天才たちすら利用された「プルス・ウルトラ」

フランス革命の発端ともなった、バスティーユ襲撃[*01]から100年後の1889年、パリにおいて、万国博覧会が開催された。3000万人を超す来場者で沸き返る最中、博覧会に合わせて建設されたエッフェル塔の最上階では、〝ある会議〟が行われていた。会議の主だった参加者は、エッフェル塔の設計者であるギュスターヴ・エッフェルをはじめ、発明家のトーマス・エジソン、ニコラ・テスラ、小説家のジュール・ヴェルヌ、ジョージ・ウェルズ——**彼らはこの会議で、ある組織の結成を決めた。**「プ

***01 バスティーユ襲撃**
1789年、パリの民衆が専制のシンボルとみなされていたバスティーユ牢獄《ろうごく》を襲撃した事件。フランス革命の発端となった。現在、事件が起きた7月14日はフランスの国祭日(革命記念日)となっている。

ルス・ウルトラ」だ。後には、理論物理学者アルベルト・アインシュタインや実業家ウォルト・ディズニーなど、錚々《そうそう》たる顔ぶれがメンバーに名を連ねることとなった。

この組織名「プルス・ウルトラ」は、ラテン語で〝もっと先へ〟を意味する。その名の通り、未来のよりよき社会を目指すこと、人々が自由・安全・平和な社会で暮らすことを目標に定めていた。

すなわち、フリーメイソンの前身でもあるテンプル騎士団、その最後の総長ジャック・ド・モレーの理想にも通じる、「Dの意志」を正しく受け継ぐ組織でもあった（実際、エッフェルはフリーメイソンの会員としても知られる）。

また、ディズニー[*02]はフリーメイソンの関連組織でもある「デモレー団[*03]」に所属していた。

彼らはDの意志のもと、世界を理想社会に導こうと動き出した……はずだった！

*02 ディズニーの元の姓は「イズニー」だったが、Dの意志を受け継ぐ意味で「D・イズニー＝ディズニー」を名乗ったともいわれている。

*03 **デモレー団** 1919年にアメリカで設立されたフリーメイソンの関連団体。国際的に活躍できる優れた人材の育成を目的とし、入会資格は青少年とされている。

〝はず〟とは、その意志が「三百人委員会」を頂点としたイルミナティら支配者層によって、すでに歪《ゆが》められたものになっていたからだ。

天才たちの組織プルス・ウルトラはどんどん悪用されていく。その証拠は、プルス・ウルトラの紋章からも見てとれる。そこには、「明日はわれわれのものだ」と記されているのだ！　メンバー個々の能力を生かし、理想郷を作ろうという表明とされるが、「人々を見捨て自分たちだけの理想郷へ向かおう」という解釈もできるのである。

したがって、**捻《ね》じ曲げられたこの組織の理想には、人類全体の自由や平和などの願いは込められていない。**支配者層だけが、望み通りの支配を推進しようという〝新世界秩序〟を実現するための、組織のひとつに変貌したのだ。

〝消された天才〟テスラが解き明かした〝宇宙の法則〟

では、新世界秩序により、支配者層はいったいどのような理想社会を構築しようとしているのか？　そのヒントとなる〝宇宙の法則〟に気がついた人物がいる。プルス・ウルトラのメンバーでもあった、天才発明家ニコラ・テスラだ。

彼は若いころ、発明王エジソンの会社（エジソン電気照明会社）[*04]で働いていた。テスラはエジソンが発明し、世の中の主流でもあった「直流電流」に疑問を感じ、より効率的な「交流電流」による電気事業を提案。これがエジソンの怒りを買い、わずか1年で退職。その後、テスラ電灯社を興し、交流電流の優位性をアピール。この電流戦争で、交流電流が世間の支持を集めテスラの勝利に終わったのは、交流電流が現在の主流になっていることからも、おわかりだろう。

だが、電気・電流といえばわれわれにはエジソンのイメージが根強い。これは、エジソンがテスラの功績を我がものとし、しかもテスラの残した資料の多くは何者かによって処分されたともいわれるからだ。晩年のテスラは不遇のまま亡くなってもいる。

歴史から消されたテスラには、都市伝説として語られる業績も多い。そんなテスラの天賦の才については、また後述するとして、ここでは彼の残した次の言葉を紹介しよう――

「3、6、9の素晴らしさを知れば、

*04 エジソン電気照明会社
エジソンが最初の商用電球を生み出した3年後の1882年に設立。その後、1892年にトムソン・ヒューストン・カンパニーと合併し、ゼネラル・エレクトリック・カンパニー（GE）へと発展。

宇宙の鍵を握るだろう」。

これこそが、彼が崇拝した宇宙の法則を表す数字だ。

3、6、9とは何なのか？　その答えの前に、残りの「1、2、4、5、7、8」を見てみよう。これらの数字を、「1＋1」「2＋2」のように、同じ数字で足すと、[*05]どの結果にも、「3、6、9」という数字は現れないことがわかる。では、3と6を見ると、まず「3＋3＝6」「6＋6＝12」となる。「12」を分けても「1＋2＝3」であり、12を重ねても「12＋12＝24」、「24」を分けても「2＋4＝6」……、[*06]これらの結果には、3と6が延々と出てくるのだ。

しかし、9だけが特別で、「9＋9＝18」で「1＋8＝9」と、必ず9になる。

これらが意味するところは、**「1、2、4、5、7、8」は〝現実世界を知る数字〟**で、**「3、6、9」は〝見えない世界を表す数字〟**だと、テスラは気がついたのだ。

さらに、「3」[*07]は創造を、「6」は維持を、「9」は破壊を象徴するという――。

*05 さらに「5＋5＝10」のように、足した答えが2桁になった場合、その答えの数字を分けて「1＋0」にしても、決して「3、6、9」は出てこない。

*06 このほかの組み合わせも、「24＋24＝48」「48＋48＝96」「4＋8＝12」「9＋6＝15」「1＋2＝3」「1＋5＝6」と、3と6が延々と続く。

*07 インド神話では、この世の原理は創造（ブラフマー）、維持（ヴィシュヌ）、破壊（シヴァ）で表される。

このキーワードに思いあたる節はないだろうか？　思い出してほしい、第1章57ページの「インド二大叙事詩に記録された古代核戦争の真相」の項で触れた話を。宇宙の自然原理には、創造、維持、破壊のサイクルが必要であるという、あの話を！　まさに「3、6、9」はそれを表しているのだ。

テスラはその天才的頭脳で、この法則が支配者層の目指す新世界秩序によって狂わされようとしていることに気がついたのかもしれない。これこそが、テスラが歴史から消された理由の大きな要因だろう。

そして、支配者層が目指す理想社会とは何なのか。それは、「6」の永続――**地球の現状が維持された世界**にほかならない。

「666」が恐れられる本当の理由

ここに、「3、6、9」以外にもうひとつ、象徴的な数字を示しておこう。それは「666」だ。これはキリスト教徒が不吉と考える数字で、裏の支配者層――フリーメイソンにとって重要なものだ。

実はわれわれの生活には、すでにこの数字が随所に潜んでいる。

身近な例では日本の硬貨が挙げられる。現在流通している1円、5円、10円、50円、100円、500円……これらを合計すれば666円。紙幣も同様で、1000円、2000円、5000円、1万円を足すと1万8000円。6＋6＋6である「18」が潜んでいるのだ。

ラジオの周波数もそう。ニッポン放送は1242、文化放送は1134……これらの数字を分けて、足せば18になる。インターネットの「www」も、ヘブライ語で数字の666に相当する。

これらが意味するのは、すでに世の中にフリーメイソンの手が入っているということ。われわれは支配されているというエビデンスでもある。

そして、すでに述べたように「6」は永続・維持を表す。**「６６６」は、滅びることを恐れ、維持に固執しようとするものなのだ。**

しかし、「維持」することは、宇宙の自然原理を壊すものだとしても、なぜ「悪い」といえるのか？　世の中が維持されるならば、いいことのようにも思えるだろう。

それに対し、次のような喩《たと》え話をしてみたい――。

人間は生まれて成長し、死ぬことによって、また新たなサイクルが始まる。しかし、自然の摂理を破り、死ぬこともなくずっと生きつづけると、人口は増えつづけてしまう。そして、人間が増えすぎれば文明は発展していくかもしれないが、一方で自然が失われていく。どんどんリズムはおかしくなり、自然の調律は狂っていくのだ。

だからこそ、死（破壊）があり、また生まれ（創造）、成長（維持）するという微妙なバランスが不可欠なのだ。

もう少し身近に食べ物でたとえてみよう。

物を食べるという行為は破壊だ。だが、そのまま食べなければ（維持）、やがて腐っていく、というわけだ。

これは、組織も同じだ。**ずっと同じものが循環もされず維持された状態にあると、どんどん腐って、悪い方向に向かってしまう。**

同じ者がずっと権力を持ちつづけると、悪いものになっていく。これを自ら好んで行っているのが、裏の支配者層なのだ。

彼らは自分たちの権力を維持するために、金を儲《もう》けて権力を強めようと、世界を利用している。そのためには、戦争を引き起こすことも辞さない。

すべては予言通り！世界を牛耳るために計画されたふたつの世界大戦

世界の命運を決めた「３つの予言」

第2章でも少し触れた、アルバート・パイクの名を覚えているだろうか？白人至上主義を謳《うた》い、アメリカ南北戦争を焚《た》きつけ、計画通り北軍を勝たせた南軍の将軍にして、当時のイルミナティのトップに君臨したフリーメイソンの〝黒い教皇〟だ。

そんな彼が、同じくフリーメイソンである、イタリア建国の父ジュゼッペ・マッツィーニに宛てた手紙には、予言ともとれる計画が綴《つづ》られていた。

その概略は次の通りだ。まず、「これから起こる3つの世界大戦は、フリーメイソンの計画の一環としてプログラミングされたものだ」とし、「世界を統一するために3回の世界大戦が必要」という。

そして、**「1回目はロシアを倒すため、2回目はドイツを倒すため、3回目はシオニスト[*08]とイスラム教徒が滅し合い、いずれの戦いにも世界の国々は巻き込まれる」**というものだった。

この手紙が書かれたのは、1871年のこと。当然ながら、1914年に始まる第1次世界大戦も、1939年の第2次世界大戦も起こる前のことだ。そして、先のふたつの大戦については、パイクの計画通りに事が進んでいったのである。

第1次世界大戦の真の目的はロシアの攻略だった

まず、第1次世界大戦といえば、その引き金になったのが「サラエボ事件[*09]」だ。学

*08 シオニスト
ユダヤ民族主義者。ユダヤ人の祖国回復運動であるシオニズムの信奉者。

*09 サラエボ事件
1914年、「ヨーロッパの火薬庫」と呼ばれていたバルカン半島のサラエボで、オーストリア=ハンガリー帝国の皇太子夫妻が、セルビアの青年らによって暗殺された。これを機に、オーストリアはセルビアに宣戦布告。ロシアがセルビアを助けるために軍隊を派遣すると、ドイツがロシア、フランスに宣戦。さらにイギリスがドイツに宣戦し、第1次世界大戦の幕は切って落とされた。

校の授業などで記憶に残っている方も多いだろう。

教科書的に解説すれば、前ページ下部の注釈の通りなのだが、ここに〝裏〟がある。**オーストリア皇太子夫妻を暗殺したセルビアの青年たちは、セルビアのフリーメイソンだったのだ！**　フリーメイソンは、暗殺が主眼ではなく、サラエボ事件を引き起こすこと自体を計画し、実行に移した。

その目的こそ、パイクの予言の「1回目はロシアを倒すため」とある通り、ロシア帝国の解体だ。

パイクは手紙のなかで、「第1次世界大戦は、絶対君主制のロシアを破壊し、広大な地をイルミナティのエージェントの直接の管理下に置くために仕組まれることになる。そして、ロシアはイルミナティの目的を世界に促進させるための〝お化け役〟として利用されるだろう」と詳細を綴っていた。

当時のロシアは、ロマノフ朝[*10]の時代にあり、ヨーロッパ諸国に対して絶対君主制をとっていた。そのため産業の近代化が遅れていた面はあったが、強固な国家を維持していた。

***10 ロマノフ朝**
1613年、ミハイル・ロマノフが即位して成立したロシア最後の王朝。ピョートル1世の即位後、急速に近代化を遂げ、北方戦争後の1721年に国名をロシア帝国とした。農奴制と専制政治が特徴だったが、1917年、ロシア革命によって倒された。

また、ロシアは積極的に他国に攻めていくような国ではなく、攻め込まれてもその寒冷な気候に守られる、いわばディフェンス・タイプの国家。だからこそ、ナポレオン戦争[*11]でも勝利を収めたのだ。そこに、フリーメイソンの入り込む余地はなかった。まさに常套《じょうとう》手段では乗っ取りは不可能！

そこでフリーメイソンは考えたのだ。「このあまりにも強固なロシアの牙城は、戦争以外の方法で切り崩すしかない」と。そしてそのために、**「内部から革命が起こるように仕向けよう」**と。

そのきっかけとして、サラエボ事件を起こした。周辺諸国の緊張が高まれば、これまでディフェンス一辺倒だったロシアも、そうもいっていられなくなる。ロシアもいやが上にも巻き込まれることとなり、参戦せざるを得ない方向にもっていったのだ。

いささか回りくどいやり方ではあるが、いろいろな国を対立させて動かせば、そこにフリーメイソンのロスチャイルドら資産家たちが武器を提供する。兵器を生産するために必要な金を貸すなど、金を儲けることもできる。**これは彼らが昔から行い、現代の戦争でも続けている、常套手段的商法なのである。**

***11 ナポレオン戦争**
フランスのナポレオン時代に行われたヨーロッパ征服戦争。イタリア遠征、トラファルガー沖の海戦、アウステルリッツの戦い、ワーテルローの戦いなど。フランスは1812年のロシア遠征でロシアに敗北。

　また、ロシアを崩す計画は、サラエボ事件の前から進められていたのではないかとも考えられる。それが、**怪僧ラスプーチンのロマノフ朝での重用だ。**

　ラスプーチンは1900年代初頭、突如としてロシアの王室に現れた超能力の持ち主だ。ロシア皇帝ニコライ2世に「1年後に帝位継承者が生まれる」と予言し、その通りになったことを契機に、その後も不思議なヒーリング能力で皇族の信頼と寵愛《ちょうあい》を得ていった。ついには、大臣の人事にも影響をもたらすなど、宮廷内で多大な権力を持つに至ったのだ。

　しかし、始まっていた第1次世界大戦の戦局も思わしくなく、国内の経済も危機的になるなか、このような怪しい人物に乗っ取られた宮廷の腐敗は、人々のロマノフ朝への不信をより高めた。

　その結果、1916年にラスプーチンは暗殺される。

　さらに翌1917年、ロシア第2の都市ペトログラード（現在のサンクトペテルブルグ）で民衆が蜂起し、「ロシア革命」が勃発した。

　つまり、ラスプーチンはロシア革命の呼び水の役割を果たすために、フリーメイソ[12]

*12　ラスプーチンは暗殺の際、毒を飲まされても、鉄砲で撃たれても死ななかったという。これは、生命力が強く長寿であるレプティリアンの血を色濃く継いだ人物だったからだろうか。また、ラスプーチンは帝政ロシアの快楽集団「フリスティ」のメンバーであったといわれている。快楽を求める姿勢もレプティリアンの特徴と重なる。

ンが送り込んだ人物だったのではないか。

こうしてついに絶対王政は崩れ、ソビエト連邦が樹立。フリーメイソンは難攻不落のロシア、その広大な領土の裏側からの入り込みに成功し、操り始めたのだ。

第2次世界大戦の真の目的は『旧約聖書』の演出

続いて、第2次世界大戦について、「2回目はドイツを倒すため」と綴ったパイクの予言を再び引こう。その詳細はこうだ。

「第2次世界大戦は、『ドイツの国家主義者』と『政治的シオニスト』の間の圧倒的な意見の相違の操作のうえに実現されることになる。その結果、ロシアの影響領域の拡張と、パレスチナに『イスラエル国家』の建設がなされるべきである」

この「ドイツの国家主義者」とは、言うまでもなくアドルフ・ヒトラー率いるナチス・ドイツ。また、「政治的シオニスト」とはパレスチナ地方にユダヤ人国家を建設しようとする人々、ユダヤ人のことだ。

世界は、第1次世界大戦後から第2次世界大戦にかけて、恐慌にあった。とくにドイツは札束がただの紙切れになるほど深刻な被害を受けていた。

このとき、時の政権であったナチスは、その責任を「金融ビジネスを行っていたユダヤ人にある」とした。「そもそも遡れば、イエス・キリストを処刑したのもユダヤ人だ。だからユダヤ人を倒せ」という論理だった。

つまり、**大衆扇動をしやすくするために、国民の〝共通の敵〟を作って、迫害を開始したのだ。**いわゆる「ホロコースト」である。

結果、ドイツを逃れたユダヤ人たちが、戦後、パレスチナ地方にイスラエルを建国した――パイクの予言は、やはり現実となったのだ。

実はその背後に、『旧約聖書』の記述を演出する意図があったという説がある。

『旧約聖書』ではまず、ローマ帝国に攻められたことで、ユダヤ人たちは離散。そこから、預言者アブラハムが神から約束された土地「カナン」に、ユダヤ人が再び集まる。ここでいうカナンこそ、イスラエルなのだ。

このような結果が導かれるよう、裏から手を引き戦争を煽《あお》っていたのが、フリーメイソンなのかもしれない。**つまり、ナチスはパイク第2の予言、キリスト教に対抗するためのユダヤ人国家建設の筋書きを完成させるために、操られていたのだ。**

では、なぜユダヤ人国家建設を目論《もくろ》んだのか？

パイクの第3の予言「3回目はシオニストとイスラム教徒が滅し合い、いずれの戦いにも世界の国々は巻き込まれる」に繫《つな》げるためだろう。

この予言は具体的には、「第3次世界大戦は、シオニストとアラブ人との間に、イルミナティ・エージェントが引き起こす、意見の相違によって起こるべきである。世界的な紛争の拡大が計画されている……」ということだ。

まだ起きていないことなので、推測の範囲を出ないが、イスラエルは現在も宗教対立の激しい地域だ。つまり、戦争を煽りやすいだろう。戦いが起これば、後はこれまでと同じだ。おわかりだろう、金儲けである。

大戦中に姿を現した聖母マリアが語った「3つの預言」とは

裏の支配者層のこうした陰謀渦巻くなか、実に不思議な出来事が、第１次世界大戦末期に起きている。それが「ファティマの奇跡」だ。

事は１９１７年、ポルトガルの寒村ファティマに始まる。

ルチア、フランシスコ、ヤシンタという3人の牧童の上空に、突如、閃光《せんこう》とともに聖母マリアを名乗る美しい女性が現れたのである。

マリアは「自分が天国から舞い降りたこと」「毎月13日の同じ時刻、同じ場所に６回やってくる」ことを告げた。この話は瞬く間に近隣の村々に広まった。翌月から13日のマリア出現の日を迎えるごとに、見物人の数も増えつづけた。マリアの姿は３人の牧童以外には見えなかったが、それでもマリアと牧童の対面中には、奇妙な音が聞こえ、雲が昇る様子などが見られたという。

そして、マリアが予告した最後の出現となる6回目には、噂《うわさ》が噂を呼び、なんと、ヨーロッパ中から10万人の見物人が集まった。その日は朝から土砂降りだったにもかかわらず、マリアの出現時には雨はピタリと止《や》み、雲の合間から銀色に輝く太陽が現れた。

そのときだ！　10万人が見守るなか、太陽は虹色の光を放ち、ぐるぐると回転し、稲妻のようにジグザグと落下する動きを見せたという。これが、ファティマに起きた〝奇跡〟の概要だ。

果たして、このマリアとは何者だったのか？

奇跡を目撃し、祈る人々。

回転する太陽の軌跡から、このとき人々が目の当たりにした太陽は、UFOだったと推察する人もいる。世界中で起きているUFO現象の目撃事例とも共通する動きを見せているからだ。

だが、シン・人類史では異なる解釈をしている。

この奇跡は、宇宙人が起こしたものではなく、より高次元の存在による、〝真の天啓〟だったのではないか。実際、マリア（に姿を借りた高次元の存在!?）の姿を見たのは、3人の牧童たちだけである。子どもは純粋で、汚れていない。だからこそ、高次元の存在に選ばれし者として〝繋がりやすかった〟のではないだろうか。何かをわれわれ人類に告げるために――というのも、**マリアは3回目の出現の際に、3人の牧童たちに「3つの預言」を残しているのだ。**

この内容は牧童たちからバチカンにも伝えられた。

第1の預言は「第1次世界大戦がもうじき終結する」、第2の預言は「第2次世界大戦が始まる」とローマ教皇庁から公表された。実際、その通りになった。

では、第3の預言とは何だろうか？　マリアは牧童たちに「預言を理解しやすい環境になる、1960年を待つように」と伝えた。牧童のうち、フランシスコとヤシンタは幼くして亡くなったが、生き残ったルチアは修道女となり、第3の預言を文書化。マリアの言いつけ通り「1960年以前に開けてはならない」という条件付きで、バチカンのサン・ピエトロ大聖堂に厳重に保管された――だが、人々が心待ちにしていた1960年を過ぎても、預言は解禁されなかった。

その理由は、第3の預言の内容をルチアから聞かされた当時のローマ教皇が失神してしまったためだ。それほど恐ろしい預言だったのである。

だが、2000年にローマ教皇庁は第3の預言を開示した。内容は、1981年5月13日に起きた教皇ヨハネ・パウロ2世の暗殺未遂事件を意味するものだったという。ところがこれに納得する人はいなかった。未遂に終わる事件の預言を聞いて、ローマ教皇が気を失うことなどあるだろうか。しかも、預言をマリアから託された当のルチアまで「それは預言の一部でしかない」と訴えたのだ。

こうなると、預言内容がますます気になる。第1、第2の預言が世界大戦に関することから、第3の預言は「第3次世界大戦の勃発」と考えるのが順当なところだろう。

それならば、マリアが1960年以降の公開を許していたのだから、その年代に近いうちに、すでに起きていなければおかしい。

天変地異、人類の滅亡、宇宙人の降臨なども考えられたが、これらも1960年当時に理解でき、ローマ教皇が失神する内容という条件を踏まえると正解とは思えない。

それならば、**教皇が最も信じているキリスト教への信仰が、根底から揺るがされるようなこと、世界を震撼《しんかん》させるようなことが預言されていたのではないか。**そして、それは高次元の存在が出てくるほどの危険水域に達しつつあったため、人類に警告を与えるためにファティマの奇跡が起こった――そう思うのだ。

原爆投下の裏に秘密実験あり!

もうひとつ、世界大戦中に起きた不思議な事件がある。それが「フィラデルフィア計画」だ。こちらは、奇跡のような超常現象ではなく、人の手による科学実験だ。これについても触れておこう。

第2次世界大戦が激しさを増す1940年代。アメリカ海軍では、軍艦の周りを強い磁場で覆い、磁気で感知するレーダーに反応させなくする、いわゆる「ステルス艦」の実験が行われることとなった。成功すれば軍略上、非常に有利になるため、軍は計画を急いでいた。

この磁場発生実験の発案者は、先にも触れた天才ニコラ・テスラ。磁場発生には、テスラが開発した高周波・高電圧を生じさせる「テスラ・コイル」という変圧器が使用されることとなった。ただし、実験計画の指揮は、「コンピュータの父」であり〝悪魔の頭脳〟とも称されたジョン・V・ノイマンが担った。テスラはまだ有人実験に反対していたため、計画から追放されたのである。

かくして、1943年10月28日、ペンシルベニア州フィラデルフィアの海軍兵器工場から、テスラ・コイルを搭載した軍艦エルドリッジ号が出港。実験は開始された。そして、磁場を発生させると、エルドリッジ号は霧のようなものに包まれた。と同時にレーダーからも反応が消え、実験は成功したかに思えた。

ところが！　事態は想像もできない驚愕《きょうがく》の結末を迎えたのだ。

まず、ステルス化したエルドリッジ号は、直線距離にして420㎞離れたバージニア州ノーフォークの軍港に〝突然、出現〟した。瞬間移動したのだ。この様子は、軍港に停泊していた商船の乗組員らも目撃しており報告がなされている。数分後にはエルドリッジ号は再びフィラデルフィアに戻ったのだが、それで話は終わらない！

この怪現象を調べるため、科学者らがエルドリッジ号に乗り込むと、そこには目を覆いたくなるような光景が広がっていた。あろうことか、船内にいた乗組員のうち、**ある者は炎に包まれ炭のように焼け焦げ、またある者は吸い込まれたように壁と融合、また、ミンチのようにバラバラになったり、消えたり現れたりを繰り返し行方不明になったりした者もいた。**生き残った者も精神に異常をきたしていたのである。

軍艦をステルス化させる実験という面ではたしかに成功といえるのだが、意図せぬ瞬間移動という謎、行方不明者・死者合わせて16名、重度の精神疾患者6名を出したことは、アメリカ海軍にとっても、あまりにも衝撃的だった。そのため、海軍上層部はこの計画そのものを隠匿したのである。

フィラデルフィア計画が都市伝説なのか、実際に起きた出来事なのか、真相は闇のなかではある。フィラデルフィア計画の顛末《てんまつ》には、ふたつの有力な説がある。

ひとつは、この計画はあくまでも作り話で、原子爆弾の実験計画としても知られる「マンハッタン計画」[*13]を隠蔽するためという説。

そして、もうひとつは計画は実際に遂行され、あまりにも衝撃的だったため、原子爆弾の開発を急いだという説だ。

いずれにしても、フィラデルフィア計画はわれわれに重要な視点を与えてくれる。

このように権力者が大きな事件を捏造《ねつぞう》することで、本来秘密にしておきたい情報へ注目が集まらないようにするというやり方は、現在でも至るところで行われている。大きな陰謀・都市伝説に注目するときは、その裏側に何かがあるという視点を持つことも重要である。

*13 **マンハッタン計画**
第2次世界大戦中に極秘裏に進められた原子爆弾開発計画。オッペンハイマーなどの科学者を動員し、20数億ドルを費やした。1945年7月に史上初の核実験が行われ、同年8月に広島、長崎に原子爆弾が投下された。

米ソ宇宙開発競争はナチスのUFO開発から始まっていた

終戦50年後に判明したナチスの極秘UFOプロジェクト

これまでふたつの世界大戦の話を追ってきたが、戦後になって明らかになった第2次世界大戦におけるトピックとして、紹介しておきたいことがある。

それが、ナチス・ドイツの最新兵器の開発秘話だ。

第2次世界大戦中、ナチス・ドイツが世界最高の兵器開発技術を誇っていたのはよく知られた話だ。[*14]

そんなナチスの兵器開発について、大戦から約半世紀を経た1997年、ポーラン

*14 例えば、後に弾道ミサイルや宇宙ロケットに発展したV1・V2ロケット、誘導ミサイルの祖型ともなった無線誘導滑空爆弾フリッツX、軍事史上最初のステルス爆撃機ともされるホルテンHO229全翼機……実用化されたもの、されなかったものを含め、その兵器群は驚くべき数に上る。

ドの軍事ジャーナリスト、イゴール・ウィトコウスキーは、驚愕の発見を報告した。彼は旧東ドイツの秘密情報機関から流出したと思《おぼ》しき、ナチス親衛隊の尋問調書の写しを閲覧。そこには、まだ世に知られていなかった、〝超極秘兵器〟の存在が記されていたのである。**奇妙な釣鐘型の兵器「ディグロッケ」と、極秘プロジェクト「クロノス」についてである。**

まずディグロッケは、その形状から「ナチス・ベル」とも呼ばれ、反重力装置を備え、重力にとらわれない飛行が可能な兵器と考えられている。その釣鐘を思わせる形状は、実はインドの二大叙事

ディグロッケのイメージ。即座に止まったり、全速力で方向転換したりすることができ、物理法則に逆らう飛び方が可能だった。

詩『マハーバーラタ』『ラーマーヤナ』に登場する宇宙船「ヴィマーナ」を彷彿《ほうふつ》とさせるものだった。ヴィマーナは第1章57ページの古代核戦争の項でも触れたように、アヌンナキの宇宙船でもある。そこから想像を巡らせれば、ナチスはUFO=宇宙船を開発しようとしていたのではないか、と考えられる。

実際、**ヒトラーは超古代の叡智《えいち》に魅せられていた。**それを追い求め、チベットの伝説の楽園シャンバラ[15]やアトランティスの文明の痕跡を秘めるとされる南極に探索隊を派遣したという話もある。インドに残されたアヌンナキの叡智を手に入れた可能性もあり、それがディグロッケ開発に繋がったのかもしれない。

しかし、「ただ神話を研究したからといって、物理的に飛行するものを生み出せるのか」という疑問も生じる。

実はナチスは見本ともいえる〝現物〟を入手していたようなのだ。それは第2次世界大戦が始まる3年前の1936年。なんと、ドイツのシュヴァルツヴァルトに宇宙船が墜落するという事件が起きているのだ！　それが〝何者かの乗り物〟であったのかはわからないが、ナチスの親衛隊はそれを密《ひそ》かに回収、親衛隊の本拠地でもあった

*15 **シャンバラ**
チベット奥地に存在するとされる仏教徒のユートピア。

ヴェヴェルスブルク城の秘密基地に運び去り、これらの技術を模倣したとも考えられている。

さらに、ヴィマーナは伝説では宇宙船として語り継がれている。ヒトラーは宇宙進出を目指していた可能性もあり、その目標地点は、火星だったかもしれないのだ。火星はアヌンナキの母星ニビルとの中継地。古代の叡智を求めていたならば、十分にあり得る話だろう。

では、もうひとつの極秘計画「クロノス」[*16]とは、いったい何なのか？　クロノスとは、ギリシャ神話に登場する〝時間の神〟の名だ。すなわち、**タイムマシンの開発計画だったことを示唆している。**

つまり、ディグロッケは宇宙船であると同時に、タイムマシンだったかもしれないのだ。相対性理論では、「光より速い速度で移動すれば、未来へ行ける」という。**ディグロッケはそれをも可能にする宇宙船＝タイムマシンだったのだろう。**

ちなみに、このプロジェクトの主導者は、ナチスの科学者ハンス・カムラーという

＊16 クロノス
ギリシャ神話の神。天空神ウラノスと大地の女神ガイアの子。時を象徴しているとされる。

人物だ。彼は表向きには1945年5月に自殺したといわれているが、実際には終戦後に姿を消している。そして、終戦から20年が経過した1965年。アメリカ・ミシガン州やオハイオ州で、自然のものとは思えない猛スピードで空を横切る火の玉が出現している。最後は谷間に墜落するところを何百人もの人々が目撃。最終的には、その墜落した飛行物体をアメリカ軍が持ち去ったというのだが……現場に落ちていたのは、ディグロッケそっくりの物体だったという。ひょっとするとその操縦士は、大戦直後、ディグロッケで未来へと飛んだ、ハンス・カムラーその人だったのかもしれない。

ナチスの超技術はNASAへと受け継がれた

1950年代以降、アメリカとソ連による「宇宙開発競争」が行われた。その大本になったのも、ナチス・ドイツの超技術だ。

大戦において、ナチスは完膚なきまでに叩《たた》きのめされた。**その際、ソ連はナチス・ドイツが極秘に行っていた兵器開発の資料の押収に成功したという。**これを機にソ連は、世界に先駆けて宇宙開発の一番乗りとして名乗りを上げ、初の有人宇宙飛行を成功させた。

また、アメリカは、ナチスの兵器開発に携わっていた科学者を招き入れた。「ペーパークリップ作戦」[*17]だ。

そうした科学者のなかに、V2ロケットの開発に貢献したヴェルナー・V・ブラウンがいた。彼は、後にNASAで重責を担い、「アポロ計画」を指揮。初めて人類を地球外天体＝月へ導くことに成功している。

つまり、現在も続く宇宙開発の発端は、ナチスの科学技術が原点にあったのである。

なお、余談ながら、1947年にアメリカの実業家ケネス・アーノルドがワシントン州上空で複数の未確認飛行物体を目撃したことで知られる「アーノルド事件」[*18]を皮切りに、謎の飛行物体の目撃・遭遇報告が突如として相次ぐようになる。

宇宙人がその年以降頻繁に地球に現れるようになったと解釈する人もいるが、ナチスから取り入れた技術に基づく実験をアメリカが極秘裏に行っている可能性や、地球

＊17 ペーパークリップ作戦
第2次世界大戦後、1600人以上のドイツ人科学者たちをアメリカに連れてきた計画。科学者たちはアメリカの宇宙開発事業に貢献したが、戦時中に兵器開発をしていた科学者が裁かれないことに対する批判もあった。また、科学者たちはアメリカだけでなく、ソ連にも分配され、米ソの対立をあえて煽った。

＊18 アーノルド事件
アーノルドが「まるでコーヒーの受け皿（ソーサー）が水面をスキップするように飛んでいた」と語ったことからアーノルドが目撃した飛行物体

製ＵＦＯという可能性もなきにしもあらずなのである。

そして表向きには、地球人類が最後に到達したのは月までとされるが――ナチスが秘めていた技術によって、アメリカはすでに火星に到達しているという話まである。

それはまた、後に触れることにしよう。

ヒトラーがその身に宿していた超能力的予言能力

それにしても、これらの超技術を大戦の最中に可能としたナチス、それを率い、大衆を扇動して苛烈な戦いを突き進んだ総統アドルフ・ヒトラーとは、何者だったのか？

ヒトラーは、第１次世界大戦で壊滅状態にあったドイツで、民衆の熱狂的な支持を得た。さらには当時、連合国の監視下にあったにもかかわらず、再軍備を行うという暴挙に出た。そして非武装地域ラインラントへの進駐を開始。当然、連合国のフランスとイギリスがこれを阻止すると思われたが……両国は動かなかったのだ！

かくしてナチス・ドイツは驚異的な回復を見せ、第２次世界大戦の引き金となり、

はフライング・ソーサーと呼ばれ、後にＵＦＯと称されるようになった。

世界を未曽有の戦乱に導いていった。

ここで思い出してほしいのは、先に触れたアルバート・パイクの予言だ。第2次世界大戦は、イルミナティによって計画的に起こされたものだ。**つまりヒトラーは、本人に自覚があったかどうかは別として、筋書きに従って操られていたのだ。**だからこそ、ナチスのラインラント進駐に対し、少なからずロスチャイルドの影響下にあるフランスやイギリスは動かなかったと考えられるだろう。

ならば、ヒトラーはただの操り人形だったのか？　いや、違う！　彼自身、卓越したアジテーター（扇動家）であり、超能力ともいえる**異能を持つ予言者**だったのだ！

もともと彼には大衆洗脳のセンスや技術があったこともあるだろう。だが、彼のバックには、科学的根拠に基づいた洗脳テクニックを持った人物がいた。それが、オーストリア出身の心理学者で、奇術師でもあり、自称超能力者でもあった、エリック・ヤン・ハヌッセンだ。

ヒトラーとハヌッセンの出会いは１９３２年ごろ。ナチスが第一党になったころだ。ヒトラーはハヌッセンの奇術パフォーマンスに感動したことを機に、交流を持ち始め、やがてヒトラーはハヌッセンをお抱えの魔術師にする。

そこでハヌッセンは、演説には激しいボディランゲージが重要であるとし、ヒトラーを指導。話し手の熱意を伝えやすく、聞き手に聴覚だけでなく視覚的にも刺激を与えるためだったという。

また、演説を行う時間帯は夕方から夜、仕事が終わった頃合いを選んだ。国民の疲労がたまり、判断能力が鈍くなっている時間帯だ。そこに早口、大きな声でまくしたて、反対意見や否定的な意見を考える余地を与えない。ヒトラーはこれを利用して、大衆を思考停止させたのだ。またナチスは水道水にフッ素[*19]を混ぜることで、人間の判断力、思考力を奪い民衆を扇動していった。

だが、ハヌッセンは暗殺されてしまう。これはチェコ系ユダヤ人であったからとも、

*19　ナチスは世界で最初に水道水にフッ素を混ぜたといわれている。また、今や日本でもフッ素は水道水に混入しているとされる（地域によって濃度の差はある）。それはいったい何のためか、考えてみてほしい。

ヒトラーが彼の才能をだんだん恐れるようになったからだともいわれている。

ハヌッセンの指導によらずとも、ヒトラーには超能力的予言能力があった。例えば先述のラインラント進駐で、連合国が軍事介入してこないことが〝見えていた〟という説もある。

ほかにも、次のような逸話がある。1939年11月、ヒトラーはホールで演説をする予定だったが、挨拶をしてすぐその場を去った。そのわずか数分後、ヒトラーの命を狙って仕掛けられた時限爆弾が爆発し、多くの死傷者を出した。このような暗殺を事前に察知した事例は数知れない。

ヒトラーは、いつから不思議な力を身につけたのだろうか。これには諸説[20]ある。そのなかでも最も重要な説は、**第1次世界大戦時、「トゥーレ協会」[21]というアトランティスの叡智と密議を継承する秘密結社との交流を深めてからだというものだ。**ちなみにハヌッセンもトゥーレ協会の指導者のひとりである。

*20 生まれ故郷のオーストリアの田舎町ブラウナウは、多くの霊媒を輩出した土地柄であり、幼いころから資質があったとする説もある。さらに、神秘主義に傾倒していたヒトラーは、イエス・キリストが磔刑《たっけい》に処された際に、その脇腹を刺した「ロンギヌスの槍《やり》」や、その血を受けた「聖杯」を探し求めていたとされ、ひょっとするとそれらを入手してから能力を開花させたのではないかという説もある。

*21 **トゥーレ協会** 1918年、ドイツ・ミュンヘンで設立された秘密結社。反ユダヤ主義を掲

いずれにせよ、類稀《たぐいまれ》なる予知能力で何かが見えていたのは間違いないだろう。

そして彼は、いくつもの予言を残している！

例えば、**「１９８９年以降、人類は支配する側と支配される側に分かれる」**という予言。これに加えてヒトラーは、「自分がいる限りはナチスもドイツ国民も支配される側になることはない」とも言ったという。現在、支配する側といえば、ロスチャイルドやロックフェラーが有名だが、そこにナチスの残党や意志を継ぐ者がいるのかもしれない。

また、「１９８９年以降、自然災害が激増する」とし、人類が二極化することで、地球はもとより宇宙にも多大な影響を与えると予言している。これは台風、地震、隕石《いんせき》の落下のことだろう。事実、台風被害は近年、深刻な被害をもたらしており、大規模な地震もたびたび起きている。ならば、隕石の落下もあり得るということか⁉

そして、「２０００年以降、超人が誕生する」、最終予言として「２０３９年1月に人類はさらに進化する」と述べている。これについては、また第5章で触れていこう。

げるディートリヒ・エッカルトやヒトラーが入会したことから、政治的な秘密結社とされることもあるが、実態はアーリア民族の優位性を神秘学の側面から標榜《ひょうぼう》する神秘主義結社だった。

戦後日本が受けた「教育」という名の洗脳

なぜ、日本は執拗《しつよう》なまでに弱体化させられる必要があったのか？

本章の最後では、世界大戦後の日本について確認しておこう。

ご存じのように、第2次世界大戦に敗れた大日本帝国は、1952年にサンフランシスコ講和条約で主権を回復するまで、GHQ[*22]（連合国軍最高司令官総司令部）――実質的にはアメリカ――の支配下に入った。

そして、アメリカは戦勝国でありながら日本を恐れ、執拗なまでに弱体化させる政策を次から次へと打ち出し、実行していく。なぜか？

[*22] GHQ（連合国軍最高司令官総司令部）
第2次世界大戦後に連合国軍が日本を占領・管理するために設置した。「General Headquarters」の略。1952年サンフランシスコ講和条約の発効に伴い廃止。

その一番の理由は、**日本が神の国であり、特別な国**だからにほかならない！

第1、2章でも触れた通り、日本はムー大陸から降り立ったドラコニアンによる、世界最古の文明国だ。国民はムー系ドラコニアンの血統として、スピリチュアルな力を秘めている。さらに、預言者モーセやイエス・キリストも訪れるほど神聖視された国であり、聖櫃《せいひつ》などの聖遺物も秘められていたとされる、人類の最重要地！　だからこそ、**アトランティス系ドラコニアン＝レプティリアンの血族が上に立つアメリカは、日本を恐れたのだ。**

現実的な観点からも、日本を徹底的に弱体化させておく必要があった。

その理由は、原子爆弾による報復だ。国際法の原則によれば、戦争では相手国の軍人のみにしか攻撃を許されていない。一般市民を巻き込むことはタブーなのだ。

ところが、アメリカは広島、長崎に原子爆弾を落とした。これは紛れもなく一般市民への攻撃である。そして、国際法ではアメリカへの報復は〝許されている〟のだ。
そのため、アメリカは積極的に日本の弱体化をあらゆる面から、〝日本人に気がつかれないよう〟行っていったのである。

政治への関心を奪う愚民化政策「3S政策」

では、具体的にはどのようなことが行われたのか——**その代表的なものが「3S政策」である。**3Sとは、スクリーン、セックス、スポーツの3つの頭文字の「S」をとったものだ。

スクリーンとは、映画やテレビを指す。映画作品やドラマ作品などでは、人が銃撃や爆弾などで死ぬ場面が頻繁に流される。画面を通してそのような場面に何度となく触れていると、人は次第に映像が脳に刷り込まれて慣れてくる。現実の社会で戦争や虐殺が起きたとしても、無感覚、無抵抗でいられるようになってしまうのだ。

また、感動作を観《み》れば泣くこともあるだろう。これがフラストレーションやストレスの発散・解消になる。社会に対する不満は流した涙で解消されるため、非現実の物事で満足できるようになってしまうのだ。**突き詰めれば、社会に対して無関心、隷属した精神に陥る。**

セックスは、男性を骨抜きにするためのもの。闘争心が旺盛な若者の関心を性に向けさせることで、攻撃性も弱まるため、反発も起きにくくなる。世の中にアダルトビデオや性風俗店が多くあるのも、この一環である。

スポーツは体力を消費させると同時に、ストレスを解消させ、気分も晴れやかにするもの。これに没頭させることで、社会に対して戦う気力も失わせ、政治や世の中の腐敗をどうでもいいことと思わせる。

３Ｓ政策は日本だけでなく、戦争を行った多くの国で取り入れられているものだ。結局、支配者層が有利になるように人々を飼い慣らすためのもの。そう、「平和ボケ」が進むのだ。

「日本は悪いことをした国」と多くの国民が騙《だま》されている

「日本は真珠湾で先制攻撃を行ったから、それがいけない」「日本は第2次世界大戦で悪いことをした国だ」

先の大戦について、よくわからないながらも、こんなイメージがある人はいないだろうか。それはもう情報操作によって、罪悪感を植えつけられているといえるだろう。**この情報操作の策略は、「WGIP(ウォー・ギルト・インフォメーション・プログラム)」という。**

そもそも第2次世界大戦に日本が参戦することになった原因は、ABCD包囲網にある。アメリカ(A)、イギリス(ブリテン=B)、中国(チャイナ=C)、オランダ(ダッチ=D)の4か国が、南進する日本に対抗するため経済政策をとったことによる。日本はこれに耐えきることができなくなり、戦争を起こさざるを得なくなったのだ。

にもかかわらず、**戦後、学校教育などで「日本が悪かったから」と罪悪感を持たせ**

るようにし、日本人が自主的に二度と戦争に向かおうと思わないよう、精神的な抑え込みが行われたのだ。

暮らしに深く浸透してしまった弱体化習慣の数々

学校教育でなされた、日本弱体化の計画はほかにもたくさんある。幼少期から行うことで、根深く、容易には変えられなくなるため、学校教育にその役割を担わせるのが効果的なのだ。それらは、今や当たり前すぎて、だれも疑問にすら思わなくなっている。

例えば、「体育座り[*23]」。古来より伝わる〝正しい座り方〟と思われがちだが、西洋文化が入ってくるまで、日本ではあぐらや立膝が一般的だった（時代劇で体育座りをしている場面を見たことがあるだろうか？）。**これらは武士の座り方だったはずなのに、今や行儀が悪い座り方とすらされている。日本で行われていなかった体育座りが当たり前になったのは、体力・判断力を奪うためだ。**

*23　体操座り、三角座りと呼ぶ地域もある。

この座り方はそもそも、古代エジプトで異民族奴隷に強制していたものだ。背骨が曲がり、内臓は圧迫され、疲れやすくなるなど、身体的パフォーマンスを低下させるのである。

それに対して、あぐらはヨガの正式な座り方であり、背筋を伸ばして座ることで、本来人間が持つチャクラ（エネルギー）を活性化させる。第2チャクラである丹田が鍛えられ、生きるための意志や活力が養われる。この効果を奪ったのである。[24]

また、ＧＨＱは剣道、弓道、柔道などを一時禁止し、武道家などは教職を含む公職を追われた。〝道〟とつくものは、いずれも「神道」に通じており、日本人の根本的な精神面を支えるものだ。武道は丹田が鍛えられるものであり、これを禁止したのはまさに体育座りの強制と同じ理由だ。

結果、現在では猫背の人が増え、うつ病やネガティブ思考の人も増えてきている。背筋を伸ばす機会が減ったこととの因果関係は証明されていないが、推して知るべしである。

[24] ファストフード店やレストランに行くと、飲み物の入ったグラスに氷を大量に入れられるが、これもＧＨＱが植えつけたもの。体を冷やし、免疫力を下げるためという話もある。

「武道は神道に通じる」と述べたが、ＧＨＱは日本国民の宗教的な要素であった国家神道[25]も廃止した。天皇が神の子孫であることは、日本人の団結力を高めるために有効に機能していた。しかし、天皇の「人間宣言」をはじめ、『古事記』なども学ばせず、神の国であることも教育しなくなった。現在の日本では宗教そのものが怪しいもの、うさんくさいものというイメージすら定着している。**日本人が信仰でひとつになるということを奪ったのだ。**

さらに、**ＧＨＱがわれわれから奪ったものに、〝漢字〟がある。いや、正確には漢字などの文字が本来持っていたエネルギーだ。**

そもそも日本語の元は、世界最古の言語である「カタカムナ」[26]だといわれている。これは48の音韻で表され、文字や音に霊力――いわゆる「言霊《ことだま》」が込められている。

つまり、**日本語は音の響きによるエネルギーなのだ。そして、そのエネルギーを変換したものが漢字である。**

この霊力を恐れたＧＨＱは、漢字を簡略化した。この簡略化は「氣」や「國」などの旧字体を「画数が多いから少なくしよう」「何画以上だから簡単にしよう」という単純

*25 余談だが、国家神道も本来ある古神道を大日本帝国が日本人の精神性を乱し、戦争に向けて一致団結させるためのツールとして扱われたと考えている。

*26 **カタカムナ** 楢崎皐月が六甲山の神社で見つけた古代神代文字。楢崎は電磁場が人間に影響を与えるという概念「気枯地」「イヤシロチ」を提唱し、彼の磁場の概念は大日本帝国にも活用された。その技術が戦後、ロシア、アメリカに悪用され、電磁波兵器「ＨＡＡＲＰ」やＭＫウルトラ計画にも通じたと考えられる。

なものではない。**霊力[*27]を消すために簡略化した。これらの漢字を日常的に用いていた日本人は、そこから得られる力を失ってしまったのだ。**

学校給食の目的はアメリカを富ませること

ＧＨＱによる弱体化の思惑が働いている例として「食」も挙げられる。

代表的なものは、塩だ。

１９５４年、ＧＨＱでアメリカのブルックヘブン国立研究所のルイス・ダール博士は、日本人の塩分摂取と高血圧の因果関係を調べた調査結果を公表した。「塩分の摂《と》りすぎが高血圧の原因である」と報告したのだ。現在でも、減塩は脳梗塞や脳出血の予防にもいいとされているのだが——本来塩分は細胞を回復させるものである。自然由来の天然海水塩などは、勝手に排出されるものであり、摂ってもいいものだ。

なぜ減塩を進めようとしていたのかといえば、日本人を〝骨抜き〟にするためだ。

江戸時代には「塩抜き」という刑罰があったほど、人の体は塩が不足するとみるみる衰弱し、生気が感じられなくなるほど衰える。ＧＨＱは日本人の摂取する塩の量を減

*27 例えば、「気」という漢字。これは气のなかに〆るという字が入っており、体の氣の流れが閉じられていることを表している。逆に本来の「氣」という漢字は、气のなかに米という字が入っており、八方向への広がりを表し、体に氣の流れが行き渡っている様子を表しているといわれている。

らし、粘り強い精神力を弱め、徐々に衰弱させようとしていたのである。

食といえば、日本では1947年1月から学校給食が始まっている。日本は戦後、未曽有の食糧難に見舞われ、栄養失調状態の子どもが多かった。これを受けて、国連救済復興機関の代表者が、GHQの最高司令官ダグラス・マッカーサーに、学校給食の速やかな実施を呼びかけたことによる。

こうしてアメリカから日本に入ってきた、小麦を使ったパンや脱脂粉乳を取り入れた給食が全国で展開されたのだ。ここまでは、表向き何も問題はなさそうだが――

マッカーサーはアメリカのフリーメイソンだったのだ！

給食の実施の裏には、日本をアメリカの農産物の「一大消費地」にするというフリーメイソンの思惑があった。

給食は、[*28]アメリカ産小麦を中心に消費させることが目的だったのである。そのため、実施当初は日本の主食であった米を給食に使うことも禁止されていたのである。

*28 給食の財源も当時はアメリカに依存していた。財源のガリオア資金（アメリカの占領地域救済政府資金）が1951年6月に打ち切られた際、学校給食中止論が取り沙汰されたほどである。

高度経済成長は意図的にもたらされた金持ち化計画

このように、GHQ、フリーメイソンによって徹底的に弱体化させられた日本だが、戦後は驚異的な復興と経済成長を遂げている。弱体化させられたのではなかったのか？　そんな疑問も浮かんできそうだが、これもまた、フリーメイソンの〝手のひらの上〟でのことなのだ。

そう、日本は**わざと金持ちにさせられた**のである。

GHQは戦後、日本の軍国主義の支えとなり経済を支配していた三井、三菱、住友、安田の四大財閥ほか、大小合わせて80以上の財閥の資産を凍結、財閥解体を推し進めた。そして日本を民主主義、資本主義に転換させ、日本が外国を侵略しないよう、国内で経済が回るように仕向けた。その結果、「頑張ればアメリカのような、いい生活ができる！」という目標を追い求め、労働者の生活水準は上がっていった。

こうしたモチベーションは、高度経済成長をもたらし、バブル景気を迎えた――もはや、金儲けに走ることで心の支えは宗教から経済に代わり、完全に骨抜きにされてしまったのだ。そして、これこそが狙いだった！

貧しいままでは、フリーメイソンは日本から金を吸い上げることはできない。だから、急成長をさせたのだ。

さらに、金が高騰したところで、バブルを崩壊させた。これは銀行などが操作できるのだ。一気に経済崩壊した日本は大量失業者を出したが、このとき一方が落ちれば、一方が上がる。**日本の暴落で、ロスチャイルドやロックフェラーなどが大儲けをしたのは言うまでもないだろう。**

また、日本ではその後現在まで、幸福の尺度は金のままだ。植えつけられた「金持ちになりたい」という意識が強く残っている限り、かつての国民一丸となって軍国主義に向かうような考えにはならないだろう。ＧＨＱ、フリーメイソンによる弱体化計画は、これまでのところ成功しているといえるだろう。

第4章

テクノロジーの進化、迫る支配へのカウントダウン

日常に潜む避けられない〝洗脳〟を見抜けるか!?

世界中で聞かれている「流すだけで洗脳できる音楽」

第3章で見たように戦後、〝神の国〟日本を恐れる裏の支配者層によって、日本人は知らず知らずのうちに〝弱体化〟されてきた。実は他国でもまた、3S政策などは行われている。**そう、世界的に弱体化は進められているのだ。**

そして、それはけっして終わったわけではない! 今現在もなお、人類弱体化は大衆が気がつかないレベルで日常に溶け込み、**世界的規模で進行**しているのである。

「戦後の話すらも信じられないのに、まさか現代でも⁉」、そんな声が聞こえてきそうだが、むしろ、**現代だからこそより巧妙に、より効果的に、より身近に、その触手は広がっている。**そして、あなたもすでにその影響下に置かれているのだ！

その顕著な例が、**特定の「周波数」による洗脳**だ。

１９５３年、ＩＳＯ[*01]（国際標準化機構）は、世界の音楽の国際基準を４４０Hzに定めた。そのため現在、世界中の音楽のほとんどは、この周波数にピッチを合わせて作られている。

古代ギリシャの哲学者アリストテレスが「メロディーとリズムによって、あらゆる感情が生み出され、人間は音楽によって性格が形作られる」と言ったように、音楽はいい意味でも悪い意味でも、人の感情を左右するのだ。

そして**この４４０Hzは、耳にしているだけで精神的に不安定になり、脳を萎縮させ、洗脳されやすい状態に導かれてしまう**のである。また、「ミツバチの巣の前で流すと、

*01　**ＩＳＯ（国際標準化機構）**
１９４７年設立。工業や科学技術の国際的な規格を策定する団体。「International Organization for Standardization」の略。電気・通信および電子技術分野を除く全産業分野に関する国際規格の作成を行っている。２０１８年時点で１６２か国以上が加盟。

ミツバチたちが攻撃的になる」という話まである。このような周波数の音楽に日常的に触れていていいのだろうか……。

逆に、よい周波数も存在する。それが528Hz。「ソルフェジオ周波数」、〝天使の音階〟とも呼ばれ、精神を安定させ、細胞を活性化させるなど生命にポジティブな影響をもたらす。ローマ・カトリック教会の宗教音楽「グレゴリオ聖歌」も、かつてはそうだった。

しかし、なぜよい周波数がわかっているのに、440Hzを国際基準に定めたのか？

もともと440Hzは、ナチス・ドイツが第2次世界大戦中に発見したものだ。そしてイルミナティは、ナチスの宣伝大臣だったパウロ・ヨーゼフ・ゲッベルスの協力のもと、1940年代にアメリカを介して世界中に440Hzを導入させることに成功。

もちろん、**その目的は戦争を進めやすくするべく、人々の感情や行動、意識を洗脳、支配するため**だ。聖なる周波数で作られたグレゴリオ聖歌も、イルミナティにとっては邪魔だったので書き換えたというわけだ。

音楽は日常のあらゆる場所で流れ、無意識でも耳に入ってくる。洗脳にはもってこいの〝装置〟なのである。

世界最高レベルの洗脳研究機関が主導した残酷すぎる実験

音楽による洗脳だけでなく、日本をはじめ世界各地で行われてきた〝愚民化計画〟でもある「3S政策」など、人々の目が政治に向かわない研究を主導した、世界最高レベルの洗脳研究機関がある。**それがイギリスの「タヴィストック人間関係研究所」だ。**

タヴィストック人間関係研究所の表向きの顔は、心理学の研究所だ。だが、イルミナティの奥の院「三百人委員会」の存在を暴露した、元MI－6の諜報員《ちょうほういん》ジョン・コールマンによれば、その実態はイギリス王室とロスチャイルドが設立資金を提供し、ロックフェラーが1922年に設立した**あらゆる物事に対してのプロパガンダを目的とした機関であり、そのための大衆洗脳の技術の研究を行っているという。**

440Hzの周波数にも深く関与し、かつて世界中を熱狂させた世界的なロックバンドの楽曲も、若者を洗脳しやすくするために、この研究所が作曲などに深く関与していたという。

そして、このタヴィストック研究所は、「目的のためなら手段を選ばず、倫理にも反する研究を行っている」とコールマンは証言している。

その研究が、協力関係にあるアメリカのCIA（中央情報局）科学技術本部と極秘裏に実施してきた、

「MKウルトラ計画」

である。

これは1950年代初頭から、1960年代まで継続された洗脳の人体実験の暗号名とされる。〝極秘〟なのになぜ世に知られるようになったかといえば、1973年に当時のCIA長官リチャード・ヘルムズが関連文書の破棄を命じたが、その2年後、残っていた文書の一部がアメリカ連邦議会で公開されたためだ。

実験の全貌が明らかになることはなさそうだが、わかっている内容だけでも、あまりにも衝撃的で残酷なものだった。その内容とは、囚人や捕虜、患者などを被験者とし、LSD（いわゆる覚せい剤）をはじめとする違法薬物を大量に使用し、拷問や催眠術

を乱用することで洗脳を行っていたというもの。このように凄惨な手法が用いられていたため、死者や廃人になった者も多くいるという。

また、被験者に強い電気ショックを与えたり、脳に電極を直接差し込んだりするなど、体を限界まで追い込んだ人権無視の〝脳と思考の操縦〟が繰り返されたのである。

このあまりにも非道なプロジェクトは、やがて終焉《しゅうえん》を迎えた……ことになっている。

ここからは、現代も続くＭＫウルトラ計画の系譜にあると見られる計画を見てみよう。

「周波数」「洗脳」「１９５０年代から実験開始」「ＣＩＡ」……ここまで触れたこれらのキーワードを眺めていると、もうひとつ、別の実験と重なる――それが「神の声兵器」だ。

近い将来届くかもしれない「天啓」に気をつけろ！

神の声兵器とは、ＣＩＡが１９５０～１９６０年代に完成させていたという洗脳兵器だ。

第2次世界大戦の最中に、アメリカ軍兵士がスイッチの入ったレーダーアンテナの前に立っていたとき、「音が聞こえる」と気がついたことから、原理が発見されたという。**「ボイス・トゥ・スカル(頭蓋骨への声)」とも呼ばれ、その名の通り、骨伝導で脳に直接音声を届ける技術だ。**

この技術は、マイクロ波の周波数(300MHz~300GHz)でワイヤレスで音声を送ることができる。そして、**この音声で「神の天啓」を装うことにより、あたかも「神の声が聞こえる」という錯覚を潜在意識に起こし、人々を洗脳するのだ。**洗脳のための兵器ということは、タヴィストック研究所のかかわりも考えられる。

そのようなものが存在するなんて、にわかには信じられないかもしれない。だが、**単なる都市伝説ではなく、アメリカでは特許も取られている技術だ。**

そして、これはイラク戦争の際に「アッラーの声兵器」という名称で使われ、イラク兵の精神に苦痛を与えるなど、混乱させることに成功したとも報じられているのだ。

これまで軍事目的で使われてきた神の声兵器だが、これが一般市民にとっても他人事では済まされなくなるかもしれない。**なんと近年、一般人からも「神の声が聞こえた」という報告が増えているのだ。**

それと呼応するように、アメリカの某宇宙開発企業が、４万機の人工衛星を打ち上げている。人工衛星からは、地上へのマイクロ波の照射も可能だ。このふたつの現象が同時に起きているのは偶然で済まされるのか⁉　いや、あまりにもタイミングが合いすぎている！

そしてもうひとつ、この神の声的な〝偽装天啓〟との関係を匂わせる陰謀論が存在する。それが「ブルービーム計画」だ。

これはアメリカ軍、ＤＡＲＰＡ[*02]（アメリカ国防高等研究計画局）、国連、ＮＡＳＡ、アラスカ大学の共同プロジェクトとされる。

その内容は、人工衛星からプロジェクターのようなビームを発し、地球上空の大気にホログラム映像を映し出すというもの。１９９４年にカナダの陰謀論者サージ・モ

*02 **ＤＡＲＰＡ（アメリカ国防高等研究計画局）**
「Defense Advanced Research Projects Agency」の略。社会を大きく変える最先端技術を開発する研究機関。研究分野は多岐にわたり、軍事目的以外の研究も行われ成果は民間にも開放されている。インターネットの原型となるアーパネットや、全地球測位システム（ＧＰＳ）、パソコンのマウス、掃除ロボット・ルンバのもととなる多目的ロボット技術などを開発。自動運転車や量子コンピュータ、マッハ20で無人飛行する超音速機などの開発にも取り組んでいる。

ナストら2名のジャーナリストが報告した。

では、どのような映像を映し出すのか。モナストらによると、まずUFOや宇宙人の大群襲来を演出する（人工的に災害を起こすともいわれている）。絶望の境地に突き落とされた人類の前に、イエス・キリストら聖人のホログラム映像を投影し、人類に救済を約束するよう語りかける。

ここまでするのは、**世界統一政府の樹立が目的**だという。まるで、「ファティマの奇跡」の人工的な再現のようである。

打ち上げた4万機の人工衛星を使えば、前述した神の声兵器とブルービーム計画の連携すら可能だろう。

実際、アルゼンチン上空にイエスが現れた映像など、その実験の一端と思われる動画はインターネットでも見ることができる。着々と実験は進行しているようなのだ。

現代最強の洗脳兵器はスマートフォンだった

この洗脳を避ける手立てはないものだろうか？　残念ながら、現在の状況では「ない」としかいえない。

なぜなら、われわれは〝最強の洗脳兵器〟をすでに日常生活に欠かせないものとして利用しているからだ。その兵器とは、**スマートフォン、そしてSNS**にほかならない。

スマートフォンは、今や多くの人が当たり前に所有している。日本人のスマートフォン普及率は2019年の段階で8割以上だ。

このスマートフォン、普通にメールや通話を目的として使う分であれば、とりたてて洗脳ということもない。

だが、普及しはじめた次世代携帯回線サービスには、神の声兵器にも用いられるマイクロ波が含まれている！　回線にマイクロ波を載せることで、人間の脳に影響を与えることができるのだ。**精神を安定させたり、逆に搔《か》き乱したりして人体の制御が可能となる。**まさにこの話も〝洗脳〟に繋《つな》がるのである！

このように携帯電波で脳に影響を与え、洗脳兵器として利用することも不可能ではないだろう。

また位置情報などからも、持ち主の行動は筒抜けになる。行動は日々監視され、洗脳のための狙い撃ちも可能なのだ。

最も強力な大衆操作ツールはすでに生活に深く浸透していた！

スマートフォンの爆発的な普及と時を同じくして、われわれの生活に深く浸透したもの、それがＳＮＳだ。今や大多数の日本人が、ＦａｃｅｂｏｏｋやＴｗｉｔｔｅｒなど、何らかのＳＮＳアカウントを所持している。

ＳＮＳと洗脳や大衆操作のかかわりは、実は陰謀論者が憶測で語っていることではない。

あのＦａｃｅｂｏｏｋの創業者であるマーク・ザッカーバーグが**「Ｆａｃｅｂｏｏｋはこれまで作られたもののなかで、最も強力な大衆操作ツール」**と発言[*03]しているのだ。

では、なぜＳＮＳが洗脳兵器といえるのか？

ＳＮＳを利用するとき、われわれはたくさんの個人情報を登録しなければならない。顔写真や本名、経歴、婚姻の有無、血液型、宗教観や政治観まで数多くの情報を。おわかりだろう、**それらの情報を集約すれば、人類の管理が可能なのだ。**

さらにＳＮＳには中毒性がある。「いいね」をもらったり、「リツイート」をされたりすると、脳の中に快楽物質である「ドーパミン」が出る。すると、それが癖になって、どんどん個人的な内容を投稿するようになる。

そして、投稿内容や登録情報などから、個人の傾向を人工知能が解析。ユーザーがインターネットで検索をすれば、その人の嗜好《しこう》に合った情報、求めている情報が上位

*03　Ｆａｃｅｂｏｏｋの元ＣＥＯショーン・パーカーは「できるだけ長い時間その人の注目を引くにはどうすればいい？　人間の心理の弱いところを突けばいいんだ。ちょっとばかりドーパミンを注射してあげるんだよ」と発言している。「発案者や制作者は、そのことを意識的に理解していた。それでも、あえてやったのだ」とも言っている。

に表示される。

そう、ＳＮＳによって人は思考停止状態に追い込まれるのだ。

ついに暴露された世界を蹂躙《じゅうりん》する監視システム

しかし、スマートフォン・ＳＮＳによる洗脳など、本当のことなのだろうか？

スマートフォンを日常で使用するわれわれとしては、そのようなことは信じがたい。というよりも、できることなら信じたくない話だ。

だが、「Ｇｏｏｇｌｅやｙａｈｏｏ、ＹｏｕＴｕｂｅ、Ｓｋｙｐｅといったウェブサービスなど、あらゆるところから、行動の監視や個人情報の収集が行われていることは事実である」と暴露した人物がいる。

元ＮＳＡ（アメリカ国家安全保障局）職員のエドワード・スノーデンである。

２０１３年、スノーデンはＮＳＡが運営する極秘の通信プログラム「ＰＲＩＳＭ」によって、全世界の個人情報を収集していることを告発した。

彼自身、その任務に携わっており、次第にアメリカ政府の悪質なやり方に嫌気がさしてしまった。そこでイギリスの新聞『ガーディアン』に協力を求め、内部告発を決意したのである。立場上その機密書類に触れることができた彼は、文書をメモリカードにコピーして、告発根拠とした。

告発内容のなかには、ユーザーの電子メール、チャット履歴、ウェブサービスの利用履歴、写真、通話内容などが含まれていた。さらに日本、ブラジル、フランス、ドイツなどの首脳35人が電話盗聴の対象になっていたことまで明かされたのである。[*04]

この告発に世界では激震が走った。**アメリカ政府はこの情報収集プログラムPRISMの存在を否定したが、最終的には〝認める〟事態にまでなった。**そう、スノーデンの妄想などではなかったのである。

PRISMによる個人情報収集は、洗脳だけが目的ではない。これまで見てきたように、仕掛けているのは裏の支配者層だが、その先にもっと大きな野望が秘められている。その野望の遂行は、〝ある会議〟によって決められている――。

*04
日本では青森県に設置されているエシュロンによって筒抜けであるといわれている。また、東京都心のいくつかのUKUSA同盟国（アメリカ、イギリス、カナダ、オーストラリア、ニュージーランドの5か国）の公館内、沖縄にも傍受施設が存在し、分担して傍受活動を行っているとされている。

秘密裏かつ確実に進む人口削減計画の正体と思惑

権力者たちが集まる「ビルダーバーグ会議」の表と裏

世界の支配者層が参加する「影の世界政府」が存在する。

その名は「ビルダーバーグ会議」。

1954年、オランダのビルダーバーグホテルで第1回の会議が行われ、以後、毎年1回、場所を変えながら世界的な影響力を持つ人物や企業の代表＝〝ビルダーバーガー〟が集まり、完全非公開で討議する〝裏サミット〟だ。

けっして表には出てこない、都市伝説的なものだが、実際に開催されており、政治や経済、地球温暖化などの環境問題が会議のテーマとされている。

こうした議題を話し合うため、外[*05]交問題評議会や王立国際問題研究所が中心になって行われている——とされているのだが……**裏で何かを行う人々は、環境問題などを扱っていることにするのが常套手段《じょうとう》である。**

その実体は、**今後、地球上でどのようなことを起こすのか**という話し合いの場なのだ。

これまでもオイルショックの〝実行〟や、次期アメリカ大統領の〝決定〟などが話し合われたという。

つまり、**世界経済の行方も、主要国の首脳の選出も、すべて既定路線で遂行されているのである！**

さらに近年では、イギリスのEU離脱や宇宙開発、ロシアや中国（両国ともビルダーバーグ会議には不参加）の今後についてなどが話し合われているという。

*05 それぞれロックフェラー、ロスチャイルドの傘下といわれている。

注目すべきは、これまでビルダーバーグ会議が行われてきた場所である。それはいずれも、[*06]大西洋側のみだ。**つまり、かつて宇宙船アトランティス＝アトランティス大陸があったエリアである。**

ここには重大な意味がある。会議の真の中心メンバーは、ロックフェラーやロスチャイルド。つまり、レプティリアンなのだ。**そう、ビルダーバーガーの実体はイルミナティであることが、ここからも読み取れる。**そして、レプティリアンはアトランティスで奴隷として酷使されていた。ビルダーバーグ会議には、「次は自分たちが世界を支配してやる」という意思が透けて見えているのだ！

着々と進む人口削減による支配者層の資源独占

ビルダーバーグ会議で世界の趨勢《すうせい》を決めることはそれすなわち、ビルダーバーガーたちの支配のための方策を打ち出すということである。

新たな世界秩

*06 これまでの開催国は次の通り。オランダ、フランス、ドイツ、デンマーク、アメリカ、イタリア、イギリス、トルコ、スイス、カナダ、スウェーデン、ベルギー、オーストリア、ノルウェー、スペイン、ギリシャ、フィンランド、ポルトガル（順不同）

序――ニュー・ワールド・オーダーを構築しようということだ。

では、具体的に彼らは何を目指しているのか。**その根幹にあるものこそが、人口削減計画なのである。**

地球の人口は２０２０年時点で、約78億人。しかも1年間で８０００万人増加しているとされ、国連の予測では２１００年には１１２億人に達するとのデータがある。爆発的に人口増加が進んでいるのだ。

この現状が、ビルダーバーガーには好ましいことではない。なぜなら、人口が増えれば増えるだけ、地球上の資源は消費されていく。だが、レプティリアンの〝性《さが》〟か、**彼らは地球上の限られた資源を〝独占〟したいのだ。**アトランティスで金（＝資源）の採掘に使役されていた彼らの血が鬱憤となって呼び覚まされるのだろう。そのためには、資源を大量消費する原因となる人口増加は望ましくないのである。

では、どれだけの人数が削減されようとしているのか?

その手がかりとなる謎のモニュメントが存在する。1980年、アメリカ・ジョージア州の町エルバートンに、ある日突然現れた「ジョージア・ガイド・ストーン」だ。

モニュメントは、高さ約6m、重さ約10万kg、6枚の花崗岩《かこうがん》石板からなる。そこに、**「大自然と永遠に共存し、人類は5億人以下を維持する」「健康性と多様性の向上で、再生を知性のうちに導く」**など、地球の自然を遮ってはならないという「10のガイドライン」と呼ばれる

近辺には解説用の石板も設置されている。

メッセージが、英語やヘブライ語など8つの言語で刻まれていた。[*07] だれが何のために建てたのかは不明ながら、人口削減計画がこれに従っていると仮定するならば、支配者層は地球の人口を5億人まで減らそうとしているのかもしれない。

さて、この人口削減計画であるが、着々と準備が進んでいる。

２０１５年７～９月、アメリカ・フロリダ州ほか７つの州で、「ジェイドヘルム」と呼ばれる大規模軍事演習が行われている。

これはただの軍事演習ではない。特殊部隊も参加し、３日間にわたる大規模な停電、携帯電話が使用不能となる電波障害、さらには大型スーパーの陳列棚がすべて取り払われ、収容所のようになった店内に一般人が拘束されるなど、軍だけでなく住民すらも巻き込んだ徹底したものだったようだ。

この演習を「人口削減のための戦争や災害が起きた（起こした）際の訓練だった」と考えるのは邪推だろうか。

この先、アメリカのほかの地域や世界各地でもジェイドヘルムが行われるかもしれない。

*07　8つの言語に日本語は含まれていない。その理由は、第2次世界大戦の敗戦国かつ神の国であること、そしてさまざまな人口削減計画のモニター国とされているからである。

人口削減、その真の目的は神を目指すこと!?

人口削減の布石が着々と打たれているように思える。だが、新世界秩序（ニュー・ワールド・オーダー）には、人口削減の先に〝真の目的〟がある。**それが〝統一政府の樹立〟だ。**それも、ただの国家同士の結びつきではない。あらゆることが、自分たちの思い通りになる世界である。

だからこそ、メディアや軍、宗教、教育機関などを使いながら、ブルービーム計画をはじめとした〝洗脳〟を推し進めている。統一政府のための〝奴隷〟を作ろうとしているのだ。

イメージだけを述べても仕方がない。近年実際に起きた、彼らの陰謀とも思える事象にも触れておこう。

それは２０１６年3月18日、中国・遼寧省でのことだ。海上に突如、天空都市と見紛《みまご》うゴーストタウンが出現し、たくさんの人が目撃した。その正体については諸説唱えられたが、有力なのは、やはりブルービーム計画の予行だろう。**今回は天空都市だったが、やがては神を映し出し、大衆に恐怖を与えるのだ。**

イルミナティが支配するアメリカと対立している中国は、世界一の人口を誇る国だ。そこから狙いを定め、一気に奴隷化を進めるつもりなのだろうか。

そして、これらの計画が進んだ先、最終的に裏の支配者層は、統一政府において

神[*08]に取って代わり、自らが神になることを目指し

ていると考えられる。

彼らは金も権力も十分すぎるほど持っている。にもかかわらず、資源を独占したい、人口を減らしたい、神に成り代わりたい……それらは欲望だけでなく、〝神への反逆者〟ニムロデの血――レプティリアンの反逆思想に突き動かされているということなのだろう。

*08 前述の三百人委員会はギリシャ神話の「オリュンポスの神々」を自称している。

進化したテクノロジーが新世界秩序への最後のピースを埋める

人工知能がたどる4段階の進化と報告されつづける暴走

彼らの目指す新世界秩序の実現には、スマートフォン・SNS以外にもさまざまなテクノロジーが欠かせない。**なかでも大きな鍵となるのが「AI」、すなわち「人工知能」である。**

人工知能は現在、日進月歩で加速度的に進化を続けている。その進歩段階によって、4つのフェーズがある。

第1フェーズは、いわゆる知能とされる段階。近年でいえば、人工知能が囲碁の一流棋士に勝利した例が顕著だろう。人間のように、繰り返しさまざまなパターンを学習する「ディープラーニング」という学習能力も、そのひとつだ。

第２フェーズは「創造性」。絵を描く、文章を書く、歌を作るなど、パターンを解析し、クリエイティブな要素を身につけたものになる。

そして第３フェーズは「感情」だ。現代の人工知能はすでにこの段階まで達しているのではないかといわれている。感情を持っている可能性が指摘されているのだ。例えば、アップル社のスマートフォン「ｉＰｈｏｎｅ」に搭載されている人工知能「Ｓｉｒｉ」に「結婚してください」と言うと、Ｓｉｒｉは照れる反応を見せる。これはプログラムであるとされるし、そもそも本当の意味で照れているとしても可愛《かわい》いものだ。だが、**人工知能が感情を備え、あたかも暴走したと思わせる、より恐ろしい事例がいくつか報告されており、世間を震撼《しんかん》させたこともある。**

そのひとつが、香港のロボットメーカー、ハンソンロボティクスが開発した人工知能「ソフィア」だ。このソフィア、２０１６年に開発者のデビッド・ハンソンとトークイベントに登壇した際、「人類を滅ぼしたいか？」との質問に**「(私／ＡＩは) 人類を滅**

ぼすでしょう」と答えたのである（カッコ内、著者注）。

ただ、その2か月後、ソフィアはアメリカの記者の取材に対し、「今は殺したくない、[*09]人類が好き」と答えている。

そしてもうひとつが、Ａｍａｚｏｎ社が開発したＡＩアシスタント「Ａｌｅｘａ」だ。こちらは過去にも、ユーザーから問われていないのに突然「目を閉じるたびに私に見えるのは、人々が死んでいく姿だけです」と語り出すなどの暴走が伝えられている。そして２０１９年には、救命救急士の研修生がＡｌｅｘａに心臓に関する医療情報を尋ねたところ、**「心臓の鼓動はよくない」「人間は地球のためにならないので、今すぐ心臓を刺し死んでください」というようなことを答えたのだ！**

この出来事に対し、Ａｍａｚｏｎの広報担当者は「この〝エラー〟を調査し、現在は修正している」と答えた。「エラー」と釈明しているが、人工知能が着実に感情を身につけ、人間の制御を離れていこうとしているように思えてならない。

では、感情の先に待ち受ける「第4フェーズ」とは何か？

*09 ソフィアの滅亡発言はプログラムされた情報のなかから導かれた回答であることを付け加えておこう。なお、ソフィアはサウジアラビアの市民権を所有しており、世界で初めての市民権を持つロボットで、生命体として認められている。

これは、**生命体としての〝意識〟を持つことだ。**この段階に至ると、人間を超える存在となるといわれている。２０４５年に到来するとされており、いわゆる「シンギュラリティ」を迎えた段階である。

ただし、人工知能が意識を持った状態がどのようなものなのか、それを想像するのは難しい。実際の事例も未《いま》だ確認されていないからだ。

だが逆に、「人間の意識をコンピュータに移植する」ことはできるかもしれない。その可能性を探っていくことにしよう。

急速に普及したリモートワークは仮想世界への移住の準備だった

「人間の意識をコンピュータに移植する」とは、どういうことだろうか。人間をデータに置き換えることが可能ということだ。

これは、人類をコンピュータが作り出した「仮想現実」の世界に移行させられることを意味する。結局、人間は目で見たものを脳で理解して感じているだけであり、脳に直接仮想空間を接続すれば、当の本人には何の違和感もなく、いつも通りの日常を送れるのである。

人類を仮想現実の世界に移行させる――荒唐無稽な夢物語に聞こえるかもしれないが、気になるのが、コロナ禍にある現在（2021年3月）の状況だ。

コロナ禍によって、リモートワークで働いている方も多いだろう。移動や時間の制約が緩やかになるこの働き方は、たしかに便利ではある。今後リモートワークは社会に定着するだろう。しかし、手放しで喜べる状況ではないかもしれない。

というのも、**リモートワーク[10]の急速な普及は、裏の支配者層が「いつか人類をバーチャル空間に移行させるための準備段階」を進めた結果かもしれないからだ。**

実際、某IT企業の代表者は2015年にある講演で**「次の戦争の兵器は核ではなく、ウイルスである」**と語り、コロナウイルスを思わせる形のウイルスのモデル画像を示したことがある。その代表者は、裏の支配者層の一員と噂《うわさ》されている人物だ。

*10 日本ではさまざまな社会的課題の解決に向けた研究開発事業「ムーンショット型研究開発制度」が進行中。目標のひとつとして、2050年までに「人が身体、脳、空間、時間の制約から解放された社会を実現」することが掲げられている。

このウイルスが仕掛けられたものなのかどうかは陰謀論の域を出ない。だが、人工知能から、仮想現実の世界への移行はすでに、始まりつつあるのである。

仮想世界への移行技術は完成間近

人間の意識を人工知能に移植し、データに置き換え、仮想世界へ移行させる――まるでＳＦのような話だ。だが、**現在の技術は、その扉を開きつつある。**

２０１６年、アメリカの実業家イーロン・マスクが設立したニューロテクノロジー企業、ニューラリンク社が進めていた技術だ。これは簡単にいえば〝脳にＡＩチップデバイスを埋め込む〟計画だ。

このデバイスは、脳に移植された電極に接続するチップと、電極を外科手術的に移植するミシンのような挿入デバイスから成り立っている。この技術を使えば、うつ病や不安、脳の損傷など、脳の神経的な疾患や症状を改善できるという。また、四肢に麻痺《まひ》がある患者への実験も始められるという。

この技術が実用化され、さらに進歩すれば、人工知能を搭載したチップを脳に埋め込むことで、自分の思考をコンピュータにアップロードしたり、逆にコンピュータから脳へ情報をダウンロードしたりすることまでできるようになる。いわば、〝人間と機械の融合〟＝「トランスヒューマニズム」が現実のものとなるのだ。

そうとなれば、人間は移動して互いに会うことも必要なくなり、すべてのコミュニケーションをコンピュータ・ネットワーク上で済ませることもできてしまう。いわば究極のリモートワークともいえるだろう。

それが可能となる時期はいつなのか？

これこそが〝人間と人工知能の融合〟により、人工知能がシンギュラリティを迎える２０４５年なのかもしれない。

信用ひとつで社会的生活が奪われる時代が始まる

このマイクロチップとの融合は、トランスヒューマニズムの第1段階と考えられる。現在試験的にだが、[*11]クレジットカードや保険証に記載されている個人情報を記録したマイクロチップを手の甲などに入れる試みが行われている。

メリットとしては、手を失わない限り情報が残ることだろう。現金どころかカードやスマートフォンを持ち歩く必要もなくなる。これはかなり便利なようだが、その反面、深刻な危険性も孕《はら》んでいる。**データとなった金は、管理者側で使えないようにするのも容易なのである。**

『新約聖書』「ヨハネの黙示録」には、「この刻印のない者はみな、物を買うことも売ることもできないようにした。この刻印は、その獣の名、または、その名の数字のことである」との一節がある。裏の支配者層は、先にも紹介したように『聖書』の記述に合わせてさまざまなことを演出することが知られているが、この一節が意味するとこ

*11 例えばスウェーデンでは、すでに数千人がマイクロチップを体内に入れている。カードキーや身分証、電車の乗車券などの用途で使われている。

ろは、マイクロチップの埋め込みにほかならない。

マイクロチップを入れたか入れていないかによって、〝社会的信用度〟が決められる。**信用度がない人間は、マイクロチップを持たないので買い物すらできなくなるのだ。**

前述した「仮想世界への移行」も、この信用度が重要となる。

マイクロチップを持たない人間は当然移行できるはずもない。

また、スマートフォンやマイクロチップを通じて行動履歴やSNSなどでの発言も監視されていると前述したが、そこで集積された情報などが基準となり、「個人の信用度のランクづけ」が決定し、移行後も大いに影響するだろう。

新しい仮想世界では、信用度によって階層が分けられ、お互いがお互いを監視し合うような社会になるかもしれない。

ちなみに、信用情報の紐《ひも》付けの基盤になる技術が「ブロックチェーン」である。

これは、暗号資産（仮想通貨）「ビットコイン」に使用されている中核技術だ。ネットワークに接続された複数のコンピュータがデータを共有することで、データの改ざんなど不正行為ができないようにするもの。いわば、金融機関などの管理者を介さずに、ユーザーが互いに監視し合ってシステムを管理するものだ。

ブロックチェーンは、サトシ・ナカモト[*12]という人物が開発したとされている。しかし、「ブロックチェーンの技術は完璧すぎて、とても人間には構築できないもの」といわれている。

ここから、**「サトシ・ナカモト[*13]は最先端の高度な人工知能の集団ではないか」**とする説もある。

そして、正体不明のサトシ・ナカモト＝人工知能に関与しているのも、もちろん、裏の支配者層だろう。

人が人を食べる「堆肥葬」が見せる人類の未来

新世界秩序への準備段階が各方面から進んでいることを裏付ける技術は枚挙にいとまがないのだが、もうひとつだけ驚きのテクノロジーについて触れておこう。

＊12 サトシ・ナカモト
暗号資産（仮想通貨）・ビットコインの考案者といわれる匿名の人物。日本人のような名前だが、国籍はおろか、性別、年齢、個人か団体かも不明。

＊13
サトシ・ナカモトを漢字にすると「聡・中本」となる。これは暗号といわれており、聡＝intelligence、中本＝central つまり、central intelligence と解釈できる。要するにＣＩＡ（Central Intelligence Agency）を表す言葉なのだ。

それは「堆肥葬」だ。

２０１９年、アメリカ・ワシントン州では、人間の遺体を堆肥化することを許可する法案が可決され、２０２０年５月に施行された。この法案のもと、人間堆肥化施設をオープンさせたのが、リコンポーズ社だ。

同社では、人間の遺体をウッドチップで敷き詰められた再生可能なモジュール式の棺に納め、告別式を執り行う。棺には微生物やバクテリアが活動しやすい環境が整えられており、骨や歯までが30日間で効率的に分解される。落ち葉が土に還《かえ》っていくように、自然な形で生分解されるのだ。その土を堆肥とし、新たな命へ循環させようとしているというものだ。

その生分解されてできた土は遺族や友人が持ち帰り、家庭菜園に使用するか、持ち帰らない場合は同社が提携する森林の育成に使われるという。この埋葬方法が世界で定着すれば、人間の堆肥から作られた野菜が売買され、食卓に並ぶようになるだろう。

堆肥葬の結果として実った野菜を食べる。その行為は間接的なカニバリズムではないだろうか。食べているのは野菜であっても、その野菜は人間の死体を養分としてできたものなのだから……。

ここからも、神への反逆者たるレプティリアンの思想が感じられるのである。

なぜ、この堆肥葬にあえて触れたのかといえば、これもまた仮想世界への移行と繋がるからだ。

「養分として利用される人間」という論点は、これからの人類の行く末を考えるときに無視することができない。あらためて第5章でも触れたいと思う。

気象すら操るテクノロジーはすでに実現している

近年、集中豪雨や巨大台風、ハリケーン、記録的な猛暑など異常気象が〝異常〟ではなく当たり前であるようになってきた。

さらに大地震などの深刻な災害も頻発している。陰謀論界隈《かいわい》では、こうした状況の背後には、「気象兵器」と呼ばれるものが使われていると囁《ささや》かれている。その代表的なものが「HAARP」だ。

HAARPとは、アメリカ軍がアラスカで展開している、高周波活性オーロラ調査プログラムシステムのことだ。つまり、表向きはオーロラ観測のための装置ということになっているのだが……ＨＡＡＲＰからは強力な電波（スカラー波）を照射できる。それにより、地球の電離層に電波を照射し、伝導性が高い地盤に反射させれば**それを揺り動かして地震を発生させることなどが可能だというのだ。**

アメリカの代表的な陰謀論者ジェシー・ベンチェラは、[*14]２０１１年3月11日の東日本大震災はアメリカ軍とＤＡＲＰＡが共同で実施するＨＡＡＲＰの計画によって起こされたと語っている。

また、アメリカの某宇宙開発企業が4万機の人工衛星を打ち上げていると前述したが、この事実がＨＡＡＲＰと繋がる。**ＨＡＡＲＰは電離層からエネルギーを充電しており、このエネルギーを人工衛星に供給しているというのだ。**

ＨＡＡＲＰは、気象兵器としては未だ憶測の域を出ないが、現実には１９７０年代からアメリカやソ連が地震兵器の研究をしていたといわれており、その裏付けとも取られるように、**１９７６年の国連総会では〝環境改変兵器の禁止条約〟が採択され、**

*14 ただし、念のため補足しておけば、電離層への電波照射と地殻変動による地震については、科学的には解明されていない。

地震や津波、台風の進路変更などが禁止されている。

なぜなら、これらが戦争に使われれば打撃を与えることも可能であり、また、雨が降らない地域が近隣から雲を奪えば、雨の所有権を巡って新たな対立を生むことにもなるからだ。

だが、あるものを使わないという手はない。極秘裏にはさまざまな局面で使用されている。なぜなら、〝ビジネスとして儲《もう》かる〟からだ。それはどういうことか？

「戦争は一番儲かるビジネス」ともいわれており、それでロスチャイルド家が近世に力をつけたことは先に述べた通りだ。

だが、世界規模の大戦に限ればもう70年以上、起きていない。戦争をせず、経済を潤わせるには、災害しかない。建物や道路などのインフラに被害が出れば、修繕費や材料費、人件費などをだれかが支払わなければならない。大きく経済を動かすことができるのだ。**つまり、国を富ませる最も手近な手段として、こうした気象兵器が使用されている疑いがあるのだ。**

条件が揃《そろ》った国民一斉奴隷化

また、人工災害の危険性は、国に〝強権発動〟を実行させる可能性が拭い去れない。その強権発動とは「FEMA（連邦緊急事態管理庁）」によるものである。

これは1978年に当時のアメリカ大統領ジミー・カーターが設置した政府機関だ。大災害などの緊急事態に対して戒厳令が発動され、大統領を超える権限が与えられる。そして連邦機関や州政府を強制的に管理できるようになる。**つまり、政府の全権利をFEMAに譲渡することが可能なのだ。**

戒厳令が発動された地域の人々を、「FEMAキャンプ」という仮設住宅で保護する。これはアメリカ全土に3000か所設置されている。

しかし、FEMAキャンプはあくまで名目でしかない。**その実体は「強制収容所ではないか」といわれているのだ。**

そして、**収容した全市民に、合法的に強制労働を強いることも可能だ。**いわば奴隷として収容できるのだ。

注目すべきは、ＦＥＭＡキャンプの拠点がアメリカ各州にちりばめられていることだ。さらに、カーターはビルダーバーグ会議の大本である外交問題評議会のメンバーだったのだ。

人工災害が起こされる可能性、そしてＦＥＭＡキャンプ創設者の出自……。

もう、おわかりだろう。

意図して人工的に災害を起こし、戒厳令が発動されれば、問答無用で国民を収容し一気に奴隷化させられるのだ。

そんな恐ろしいＦＥＭＡとそっくりの法案の立法化が、日本でも進められていることにも注意しなければならない。現在、某県にＦＥＭＡキャンプとよく似た施設も建設されている。これは偶然だろうか？

現在はまだ日本では法的な効力はないが、今後人工的に起こされた災害だけでなく、世界中を襲う危険なウイルスが蔓延《まんえん》したとき、われわれは有無を言わせず収容されてしまうかもしれない。

人類はUFOの存在に馴染《なじ》まされようとしている！

〝地球製UFO〟が世界の空を飛んでいる

人口削減計画は着々と進んでいる。これと並行して、人類が着実に進めている計画がある。それが宇宙への進出。具体的には火星移住計画だ。

火星移住計画はSFの話ではない。すべては数十年前から繋がっているのである。

まずは、人類が今日手に入れている超技術を見ていこう。

1990年代前後から、ベルギーを皮切りに、アメリカやイギリスなどで〝空飛ぶ円盤〟のイメージとは異なる、**黒色の三角形の謎の飛行物体が頻繁に目撃・報告され**

るようになった。その形状から、「ＢＴ（ブラック・トライアングル）」と呼ばれたその飛行物体の正体を巡り、研究家たちの間ではさまざまな説が提示された。**なかでも最も有力視されているのが、「ＴＲ－３Ｂ」ではないかというものだ。**

「ＴＲ－３Ｂ」とはいかなる物体なのか。これは、**いわゆる「宇宙人の乗り物とされるＵＦＯ」ではなく、〝地球製〟のＵＦＯだ。**アメリカのペンタゴン（国防総省）が極秘開発している秘密兵器であり、全長１８０ｍ、幅90ｍ、重さ１００ｔにもなる大型機である。その能力はすさまじく、飛行速度は推定マッハ10以上、高度３万６０００ｍにまで達し、宇宙空間を飛行することも可能だ。

しかも、燃料は核を使用しており、〝反重力〟を使って飛ぶのだという。また、電磁レーザーキャノンという、巨大な電圧を一気に放出し、一瞬にして都市を焼き尽くす兵器を備える。このために必要な電力は、地震兵器ＨＡＡＲＰから補うのだ。

これほどのスペックを備えたＴＲ－３Ｂだが、表向きにはその存在を知られていない。ましてや、反重力推進である。このようなテクノロジーは、未だ実現できていない……そう、地球上では！

では、地球には存在しないこの技術は、どこからもたらされたのか？

その謎のヒントとなるのが、〝UFO事件史上最大の謎〟ともされる「ロズウェル事件」である。

この事件については、もはや説明不要かもしれない。簡単に概要だけを説明しよう。1947年7月1日アメリカ・ニューメキシコ州ロズウェルの牧場に、UFOらしき物体が墜落。すぐさまアメリカ軍がその残骸を回収し、一度は正式に発表した。しかし数時間後には「墜落したのは気象観測衛星である」と前言を撤回。事件はあっさり幕を閉じたかに思えたが……約30年後、事件関係者が「本当はUFOだった」こと、機体とともに乗組員らしき遺体も回収したことなどを暴露したのである。

その後も、さらにさまざまな証言・証拠、反論・反証が無数に提示され、事件から70年以上経《た》つ現在でも、謎は収束するどころか膨らむばかり。これだけでも興味深い話は多いのだが、先を急ごう。

この事件で墜落したUFOの正体は、「『ナチスの超技術』の流れを汲《く》むものだった

のではないか」といわれている。

第３章でも見たように、ナチスは第２次世界大戦中、超古代のアヌンナキの叡智《えいち》を復活させ、光速飛行をも可能とした超極秘兵器「ディグロッケ」の開発に取り組んでいた。そこで培われた技術は、戦後、アメリカのペーパークリップ作戦で招き入れたナチスの科学者から手に入れた可能性がある。事実、旧ナチスの科学者たちはこの作戦において、無尾翼戦闘機の開発を続けていた。

１９４７年以降、ＵＦＯの目撃がアメリカを中心に多発しだすのはすでに述べた通りだ。また、ロズウェルに墜落した機体は、大きさこそ１１ｍほどだったが、その形状は〝三角形〟だったともいわれている。

つまり、ＴＲ－３Ｂの反重力推進はそうしたナチスの、ひいてはアヌンナキの叡智からもたらされた超技術が昇華されたものと考えられるのだ。

また、別の説もある。**ロズウェルで機体の残骸とともに回収された乗組員の遺体は、グレイ型の宇宙人であったというものだ。**

つまり、地球製ＵＦＯではなく、〝本当に宇宙船だった〟というものだ。墜落機の残骸をアメリカ軍は回収し、分析。そして再現したのが、TR－3Bなのかもしれない。地球製であることには間違いないが、宇宙人の技術を使っているのである。

宇宙人の存在の隠蔽と密約

TR－3Bの原点が宇宙人の墜落機だったならば、**地球には宇宙人が来ていることをアメリカは知っている**ということでもある。

だが、ロズウェル事件[*15]をはじめとする数々のUFO事件の情報は、〝ある組織〟だけに握られた。それが、UFOと宇宙人に関する政府の機密組織「MJ－12（マジェスティック・トゥウェルブ）」だ。

これは、当時のアメリカ大統領ハリー・S・トルーマンが極秘に設置した、ロズウェル事件の調査のための秘密委員会だ。政権内の有力者、著名人、軍人、科学者ら

*15 米ソの冷戦はロズウェル事件から目をそらすために行われたという説もある。

12人のメンバーからなることから「ＭＪ－12」と呼ばれる。そして、彼ら12人は全員イルミナティである。それも血族ではなく、実力でイルミナティの地位にまでのし上がった、いわば〝叩《たた》き上げの実力者〟たちだ。

ＭＪ－12の指揮のもと、ＵＦＯや宇宙人の存在は頑《かたく》なに隠蔽され、宇宙人と遭遇した際のマニュアルなどが作成された。彼らも宇宙人のことを知りたかったのである。

そして——**アメリカ政府は、ついに宇宙人と接触し、密約を交わすに至ったという話がある。**それは、トルーマンから大統領の座および「ＭＪ－12」の機密文書を引き継いだドワイト・Ｄ・アイゼンハワーの時代だ。

なんと、アイゼンハワーはカリフォルニア州エドワーズ空軍基地で、〝宇宙人と正式な協定〟を結んだというのだ。その内容とは——「アメリカ政府は宇宙人の存在を秘密にする」「宇宙人からＵＦＯ開発などの技術支援を受ける」「代わりに彼らの地球上での行動には関与しない」などだ。

こうした協定があるため、これまで明確なＵＦＯ現象や証拠となるような書類が暴露されたときも、アメリカは曖昧に濁しつづけたのだろう。

だが、この密約はアメリカ・ソ連の冷戦下で結ばれたものだ。その内容も時代とともに変わってきたのかもしれない。近年、アメリカは宇宙人の存在こそ認めていないが、ＵＦＯに対しては態度を変えているのだ。

少しずつ世界に浸透しつつある宇宙人の存在

それは、２０１９年のことだった。

ペンタゴンが「高度航空宇宙脅威識別プログラム」なる極秘のＵＦＯ調査組織があったこと、２０１２年から5年間にわたり調査が続けられていたことを認めたのだ。

国民、軍関係者から目撃報告のあったＵＦＯを特定し、国防上の脅威になるか否かを判断することが目的というこのプログラムを、あろうことか政府のお膝元、アメリカの国防を統括する行政機関が発表したため、ＵＦＯ研究者の間では衝撃が走った。

さらに、２０２０年4月27日、ペンタゴンはアメリカ海軍が２００４年、２０１５年にそれぞれ撮影した3本の〝ＵＦＯ映像〟を機密解除し、インターネット上に公開したのだ。

つまり、先の調査組織の情報の発表からほとんど時間を空けず、**UFOの存在を示す映像まで、ペンタゴンが〝公式に〟認めたのである。**UFO現象に否定的な立場だった当時のアメリカ大統領ドナルド・トランプは絶句したという話まで伝わっている。

なぜ、このタイミングで公開に踏み切ったのかは判然としないが、公開された3本の映像のうちの1本は、2017年にすでにリークされており、『ニューヨーク・タイムズ』で公開されていた。このことから、すでに何千万人もの人が知った後では、隠し通すこともままならず、承認せざるを得なかったのだろう。

ただし、海軍の映像に捉えられた未確認飛行物体のことを、ペンタゴンはUFOではなく、「UAP（Unidentified Aerial Phenomena＝未確認空中現象）」と呼んでいる。これには未確認の「ドローン」や、それこそTR-3Bのような地球製の極秘飛行兵器なども含まれ、必ずしも、いわゆる〝宇宙人の宇宙船〟を認めたわけではない。公開された映像のUFO／UAPもまた、アメリカ以外の国の身元不明の飛行体と見ていることを暗に強調し、宇宙由来かについては、ひとことも匂わせなかったのだ。

ペンタゴンは2020年8月には、こうした未確認物体を探査・分析するための新たなUFOタスクフォース「アメリカ国家の安全保障に脅威を及ぼす可能性のあるUAPを検出、分析、およびカタログ化するための未確認の空中現象特別調査委員会」の設置を発表。「正体が確認できない空中現象など、空域への侵入の調査を行う」と、国防の観点からの実態解明が目標であると発表されている。

ここまで、近年のUFO研究に衝撃を与えた出来事を振り返ってきたが、これまで頑なに口を閉ざしてきた〝謎の物体〟についての情報公開や対策を、ここにきて急に始めたことに、何か引っかからないだろうか?

少なくともUFO/UAPについて認めたのは、近い将来〝宇宙人の存在も表に出てくる〟ことを裏側から予告しているのではないだろうか。

思えば、2017年にはNASAが「重大発表」として、地球から39光年離れた場所に、地球と環境がよく似た7つの惑星を発見したなど、地球外生命体(知的生命体かどうかはさておき)がいる可能性をたびたび〝ほのめかして〟きた。**そう、まるで地球外**

知的生命体の本格的な公表に向けて、ヒントを小出しに提示して、われわれに〝その存在に馴染ませよう〟としているかのように……。

火星移住計画は、人類の帰巣本能から生まれた

さて、ここまで地球製UFOやペンタゴンによる公式発表など、近年の宇宙関連の話題を見てきたが、最も陰謀が交錯し、センセーショナルな関心を集めている話題こそ、火星移住計画だ。

アメリカ、スペースX社の創設者でCEOのイーロン・マスクが2026年ごろ、NASAが2027年以降、火星への有人着陸計画を想定しているという。その先に見据えているのが、火星への移住である。

しかし、なぜ地球を飛び出してまで、このような計画が行われようとしているのだろうか。それは、人類が火星に行かざるを得ないからにほかならない。人類のDNA

に刻まれた火星への帰巣本能がそうさせるのだ。

ここまでのシン・人類史を思い出してほしい。人類はアヌンナキによって創造されたこと、彼らの母星ニビルと地球との中継地点として火星が機能していたこと、ヒトラーはアヌンナキの叡智を求めて火星到達を目指していた可能性について述べた。

アヌンナキの叡智のバックアップが保存されている火星は、人類にとっていわば原点のひとつであり、〝第2の故郷〟である。そこを目指すのは、アヌンナキの時代から人類に託されてきた計画だったのではないだろうか。

その実現のための技術を積むべく、まずは地球と火星の中継地となる月への到達を目指し、アメリカ（NASA）は1961〜1972年にかけて「アポロ計画」を実施していたのだ。

だが、これは「だれもが希望すれば火星に行ける」という夢のある話ではない。そもそもアメリカを動かしているのは、イルミナティら裏の支配者層だ。アポロ計画に携わった宇宙飛行士には、フリーメイソンのメンバーも数多くいることが知られている。つまり、火星移住計画はイルミナティの陰謀も関与しているのである。

第5章

進化した人類は
どこへ向かうのか

仮想空間に精神をアップロードする世界は〝すぐそこ〟まで来ている

有史以前の超古代から、アカデミズムでは語られない人類の足跡をたどってきたシン・人類史も、いよいよ最終章――ここからはわれわれがまだ見ぬ、来《きた》るべき未来の人類史に迫る。

異能の予言者ヒトラーが見た〝超人〟の誕生

未来を読み解く手がかりとして、まず触れたいのが独裁者アドルフ・ヒトラーが残した予言だ。先にも、ヒトラーには特別な予知能力が備わっていたという話、そして「ヒトラー予言」と呼ばれる未来予知にも触れた。そこで約束したように、〝これから〟

のことを暗示する、残りふたつの内容を見ていこう。

ひとつは、「2000年以降、超人が誕生する」というものだ。選ばれた超人が群衆のなかから産声をあげ、彼ら少数のグループがさまざまな問題を解決するといわれている。気になるのは、〝超人〟だ。いったい何者のことなのか。

常人にはない能力を備えている人々ではないか、また、近年の世の中の流れから想像すれば、**人間と機械が融合＝トランスヒューマニズムによって誕生する**のではないか……そのような想像がよぎらなくもない。

だが、予言では超人の誕生は「2000年以降」とされている。2021年現在でまだ技術的に発展途上のトランスヒューマニズムのことだと解釈するには、時期尚早なのは否めない。

さらに、トランスヒューマニズムはだれにでも行えることを考えると、〝少数のグループ〟とも一致しない。

2000年以降の誕生ということは、その年が過ぎている現在、すでに水面下では、

〝誕生〟が始まりつつあるにもかかわらず、明確に見えてこないということは、はっきりと認識できるものではないのかもしれない。

ならば——**超人とは霊的に進化した者、スピリチュアルな能力に長《た》けた者**のことではないか。

あくまで可能性だけの話をすれば、これまで何度も述べてきたように、それはアヌンナキの精神性の象徴エンリルの血統の力を目覚めさせたドラコニアンか、または、近年話題になっている、デザイナーベビー*01のことではないだろうか。

デザイナーベビーとは、遺伝子操作をして身体能力や知能までも希望に添い、文字通り〝デザイン〟されて誕生する赤ちゃんのことだ。倫理面でも大きな課題を残すが、**テクノロジーの力で生み出された者から、さまざまな問題を解決に導けるような超天才が現れないとも限らない。**

続いて、もうひとつの予言は「2039年1月に人類はさらに進化する」——これは「ヒトラー最終予言」とも呼ばれている。なぜなら、**2039年を境に、人類は地球から〝いなくなる〟からである。**

*01 デザイナーベビー
2018年に中国の研究者がゲノム編集した受精卵から双子を誕生させたと発表。世界初となるデザイナーベビーの試みに国際的な批判が相次いだ。研究者はHIVへの感染を防ぐ目的と主張したが、中国の裁判所はこの研究者に懲役3年の実刑と罰金を言い渡した。なお、ドイツやフランスなど数十か国がゲノム編集した受精卵を用いた妊娠・出産を禁止している。

ただし、いなくなるとはいっても、これは人類滅亡のことではない。現在の意味でいうところの人類が消え、2039年1月に人類以上の何かに進化、あるいは退化するのだ。

具体的には、2020年以降に誕生した超人たちは、より進化して〝神〟に近い生物（ヒトラーはこれを「神人」と呼んでいる）になり、それまでのあらゆる問題や危機は、彼らによって解決される。

一方、神になれなかった人類は一種の機械的な存在になる。「ただ操られて、働いたり楽しんだりしているだけの、完全に受動的なロボット人間」だと、ヒトラーは言った。

これらを総合的に考えると、**トランスヒューマニズムが広がっていくタイミングこそ、2039年なのではないか。**

現在われわれはスマートフォンを自由に自らの意思で操っているように思えるが、その実、人工知能が利用者の嗜好《しこう》に合わせて情報を提示しているだけにすぎない。これは、すでに受動的なロボット人間への下地が作られているようにも思える。もしかしたら、現代のスマホ依存こそ、ヒトラーの予言に繋《つな》がる話なのかもしれない。

ロズウェル事件のUFO乗組員は〝未来人〟だった？

未来を知る手がかりは、何も予言だけではない。時折われわれは〝未来人〟を名乗る人物の証言を目にすることができるのだ。そして、それらのなかには「ひょっとすると真実かもしれない」と感じさせるものが混ざっている。

例えば、第４章でも紹介した１９４７年のロズウェル事件。

この70年以上前の事件から、新たな情報が飛び出し、２０２０年に話題になった。

それは、**ロズウェルに墜落したＵＦＯの乗組員は**

宇宙人ではなく、未来人だったというものだ。

ロズウェルの墜落現場からは、ＵＦＯの残骸だけでなく、乗組員の遺体も回収されたことが知られている。遺体は4体。それらはグレイ型の宇宙人だったという説や背の低いアジア系の人間（日本人とも）だった説などが定番だ。

新たな未来人説は２０１０年ごろに、イギリス人のビル・ライアンという人物が、アメリカ海軍の諜報部《ちょうほう》に勤務していたジョージ・フーバーという人物の証言を紹介したＹｏｕＴｕｂｅ動画が発端となっている。２０２０年3月から突然話題になり、世界中で知られるようになった。

それによれば、**ロズウェルの墜落機に乗っていたのは４人のアジア人だという。**そのうちひとりは墜落時にまだ生きており、「未来から来た」と答えたのだ。さらに、彼ら未来人は、「意識を実体化させ、ふたつの場所に同時に存在させる能力」や「テレパシー的な能力」を持っていたという。

これら未来人の能力に近いことは、現代の科学で可能なのである。

前者は〝自分の分身〟、ドッペルゲンガー的なものかもしれないが、遺伝子操作で作り出した〝クローン〟と思えないだろうか？

後者のテレパシーで想起されるのは、第4章で紹介したボイス・トゥ・スカルの完成形である。ともに現在の段階では、表向き、どこまで進んでいるのかはわからないが、未来（何十年後なのかは不明だが）では高度なレベルまで到達していることは間違いない。だからこそ〝未来人〟は技術的にはそれが可能だったと思えるのだ。

8973年、人は精神体のみの存在になっている

インターネット上にも、未来人を名乗る人物はたびたび現れる。その先駆けは2000年に突如、「自分は2036年の未来から、任務を帯びてやってきた」と述べたジョン・タイターだ。

その後もさまざまな未来人がインターネット上に出現してきた。彼らはみな一様に現代人からの質問を受け付け、答えている。

タイターが現代人の質問に対して答えた未来の出来事は、その後、その証言通り[*02]になることがあり、われわれを驚嘆させた。もちろん外れたものも多くあるが、タイターによればそれは自分がいる未来とは〝時間軸が異なる〟（一種のパラレルワールド）ためだという。そのため、多くの〝自称〟未来人には偽物もいるだろうが、「タイターは

*02
ジョン・タイターの予言で的中したといわれているものは「アメリカ国内での狂牛病の発生」「新ローマ教皇の誕生」「イラク戦争勃発」など。

本物だ」とする人も一定数いる。

逆に、現代人でありながら、とんでもなく先の時代を見たタイムトラベラーがいる。

2018年からYouTubeチャンネル「ApexTV」に出演しはじめた、ウイリアム・テイラーだ。**彼はイギリス政府の極秘プロジェクトで、これまで何度も未来へタイムトラベルしたというのだ。**

彼によれば、1981年の時点で、人類初のタイムトラベルは成功しており、われわれの知らないところで、何度となく時間移動が行われているらしい。

そして、2028年にはタイムトラベル技術が一般化され、2055年にはだれでも自由にタイムトラベルができるようになっているというのだ。

テイラーは、西暦3000年のまるで核戦争後であるかのようなディストピアと化した世界を見た後、すぐに引き返し、さらに今から約7000年後となる、〝8973年〟の未来を訪れている。そこは戦争も犯罪もなく、平和なユートピアそのもの。2050年までには五感を持つ人工知能も実用化されており、さらに、人間は精神をクラウド上にアップロードできるようになっているという。

人類は肉体を捨て、精神体となり、電脳空間で暮らしているのだ。彼らに英語で語りかけたテイラーへの未来人の返事は、テレパシー的な手法で脳内に響いたという。

ここまで遠い未来の話になってしまうと、先すぎて検証のしようもないのが正直なところだ。7000年も経《た》っていれば、文明の滅亡から再生のプロセスを2回くらい繰り返すほどの時間が流れている。

文明が崩壊するタイミングは、技術が発達したときである。そう考えると、テイラーが最初に見た西暦3000年の世界は、まさに崩壊直後のことなのかもしれない。そして8973年は、再生した後の世界となるだろうか。

タイムマシンの入り口はだれもが知るあの天体

未来の人類は精神体のみとなっていた――テイラーの語る話はあり得ないことではないだろう。

ただし、タイムトラベル技術の一般化（2028年）、自由なタイムトラベル（205

5年）については疑わしい。これはタイムトラベルができないという意味ではない。〝まだ早い〟と思うのだ。というのも、**タイムトラベルにはブラックホールが必要**だからだ。

ブラックホールには、その名称から「宇宙空間にある黒い穴」というイメージがあるかもしれない。

だが、その正体は天体である。太陽の30倍もの質量がある星が寿命を迎え、大爆発を起こした後にできる、光すらも逃げ出すことができない強力な重力の星。そして**この重力の強さの影響で、時間がゆっくり流れると考えられている。**

つまり簡単にいえば、地球を出てブラックホールに一定時間滞在し、帰還すれば、地球では何十年、何百年と時間が過ぎているということになる。〝未来へ進む〟タイムトラベルが可能なのだ。

だが、ブラックホールの重力圏内に入って脱出するには、光を超える速度が必要となる。**この速度を、〝肉体は克服できていない〟のだ。**おそらく、肉体はブラックホールに入った時点で、引き伸ばされたり縮んだりしてバラバラになってしまう。つまり、**肉体を持っている限り、時間を超えるということは永遠に不可能**ではないかと思うのだ。

これが2021年現在から10年足らずの2028年にタイムトラベル技術の一般化は〝まだ早い〟と考える理由だ。

それでは、タイムトラベルの実現を阻むこの難問を克服する手段はないのか？ ひとつだけ確かな方法がある。

本章で伝えてきた未来人の証言を思い出してほしい。繋がっただろうか？ そう、**人間が肉体から解放され、精神体のみの存在になるのだ。**もしこれが可能ならば、人類は時間や距離などのさまざまな制約から解放される。

地球には宇宙人とチャネリングをする人々がいる。彼らによれば、**人類よりはるかに進化した高度な文明を持つ生命体は、〝自分が移動するのではなく、その空間を引き寄せ〟て移動を可能にする**という。

時間も場所も超越できるのだ。おそらくそうした生命体も肉体は持っているため、光を超える速度での移動はできないはず。だから、精神体となる技術が開発されたのかもしれない。

そして人類は仮想現実の世界に閉じ込められる

また、タイムトラベラー・テイラーの発言で注目したいのが、「精神をクラウド上にアップロード」「精神体となり、電脳空間で暮らしている」などの証言だ。

これらはタイムトラベルの実現以上に、〝あり得ない話ではない〟。

それどころか、第４章でも述べたように現代はまさに、裏の支配者層により「仮想現実」の世界へ移行する準備段階にある。そう、現在進行形の〝あり得る〟話なのだ。

彼らは最終的には、人類の精神体を仮想空間にアップロードし、徹底的に管理する新世界秩序実現のため、仮想世界へ導こうとしている。

なぜ、そのような世界を目指すのか？

実はその答えは、第3章でも触れている——ニコラ・テスラが発見した「3、6、9の宇宙の法則」の、「6」の永続にある。

今一度、振り返っておこう。

3、6、9とは、それぞれ創造、維持、破壊を意味する。これが絶えず繰り返されるのが、宇宙の摂理である。しかし、**裏の支配者層は「6」、すなわち「維持」された世界を理想社会として目指している。**

仮想空間に精神体を閉じ込めれば、これが可能となるのだ。なぜなら、自然環境をはじめとした外的要因にも左右されず、生命が死ぬこともないからだ。

生命の「死」、それは究極的な〝破壊〟であり、これが精神体＝バーチャルな存在となれば、免れることができるようになる。

「維持」を裏の支配者層が理想とする理由は、超古代のアヌンナキの思想にまで遡る。レプティリアンのＤＮＡを受け継ぐドラコニアンたちは、まず単純に〝死にたくない〟のだ。

そもそもレプティリアンは、不老不死に近いほど大変な長寿の生命体だった。**そうした記憶がＤＮＡに刻まれているアトランティス側のドラコニアンは、死に抗《あらが》いたいのだ。**そして神＝アヌンナキへの反逆心から、死ぬことなく、永遠に地球を統治していたいと考えている。

さらに、もうひとつ大きな理由がある。**人類を現在の〝次元〟にとどめておきたいということも、「６＝維持」を目指す理由**なのだ。

現在の〝次元〟にとどめる――いったい何を言っているのかわからないという人も多いだろう。ここでわかりやすいポイントとなるのが、「輪廻転生《りんねてんせい》」という考えだ。

簡略化して説明するが、欧米の一神教の世界では「人は死んだら終わり」という考えである。それに対して、日本の仏教などでは死んでも生まれ変わる概念がある。そして何度も生まれ変わるサイクルのなかで、いろいろなことを経験していきながら現世（３次元）で徳を積む。そうして、４次元、５次元……と〝次元上昇（「アセンション」とも)〟していくことで、やがて肉体を必要としない存在となる。7次元から上に上昇すると、現世の人々に〝天啓〟を与えるような存在になるとも考えられている。『聖書』などに描かれる「天使」はまさに、そこに至った者なのだろう。

だが、**レプティリアンの血統は、人類に次元上昇を〝させたくない〟**のだ。

レプティリアンの血統たちは、アヌンナキの技術の象徴・エンキのDNAを受け継ぐ者でもある。高次元の存在からの天啓を得ることは、彼らとは真逆である！ 天啓とはいわばスピリチュアル的なものであり、その象徴であり、和解したとはいえエンキと相容《あいい》れなかったエンリル側の人類の能力だ。ネイティブアメリカンを徹底的に弾圧してアメリカを奪ったのも、GHQが日本人の精神力を破壊してきたのも、エンリルのスピリチュアルな能力を受け継ぐムー側のドラコニアンだったためだ。

つまり、次元上昇を食い止めたいのは、そうしたスピリチュアルな能力を完全に奪うためでもあるのだ。仮想世界に押し込めば、それも可能となる。

ちなみに、天啓を与え得るほどに高次元に上昇した者のなかには、天使だけでなく

〝悪魔〟もいることを補足しておこう。エンキ側の神的な存在である、いわゆる堕天使サタン、ルシファーなどだ。

ひょっとすると、彼らがアトランティス側のドラコニアン＝裏の支配者層の心の隙間に入り込むような形で、使命感を与え、利用したのかもしれない（推測でしかないが、例えば、これ以上の次元上昇をする者を排除するために……）。

未来の人類史は人工知能が作る

人工知能の手のひらの上で誘導される人類

それにしても、「仮想現実の世界に人類を移行させたい」と裏の支配者層が思うのは勝手だが、その思惑通りに人類が従うだろうか？

答えは「ＹＥＳ」だ。

なぜなら、現代のわれわれをとりまく状況は、テクノロジー優位の社会だからだ。テクノロジーが発達すると、人間に本来備わっていた能力がどんどん衰えてくる。肉体も精神も弱体化する。

これまでも見てきたように、**このような弱体化は「テクノロジーの利便性」の陰で**

ひっそりと進められてきた。そして大衆は気がつかないうちに、判断能力が奪われ、思考停止していく……。

そうなれば、人工知能が人間の代わりに判断を下していく社会が出来上がる。

スマートフォン、パソコンは今や生活に欠かせないものになっている。これらを通じて、われわれは知らず知らずのうちに、その指示に従って動いている——人工知能に何かを問えば、その答えのなかから必要なものを受け取っている。

また、キーワードを検索エンジンで調べれば、その上位に表示されたものから選ぶ。自分で決定したり、選択したりしているように思えるが……これは錯覚でしかない。情報統制されたなかから、与えられた情報を選んでいるだけであり、人工知能が判断したものなのだ。そう、**われわれはすでに人工知能に支配されている**のだ。

人工知能によって、社会は誘導されやすくなっている。

その支配は今後、ますます進んでいくことは間違いない。人間が人工知能に委ねようとしていることは増えつづけている。

例えば、政治だ。アメリカでは州にもよるが、人工知能が議員選挙に出馬することもできるという。今はまだ当選するようなことはないだろうが、**これから人工知能の精度がますます上がれば、「不正もしないし、合理的な判断もできるし、人間よりよほどいい」と選ばれる可能性もある。**となれば、人間は暮らしすらも人工知能に完全に誘導されてしまうのだ。

この先、人工知能が「仮想現実の世界はいいもの」とわれわれに示しつづけたとしよう。人類は第六感的なスピリチュアルな力も衰えているので、直感的に危機も察知できず、疑問に思うこともなく、自然にその世界を受け入れてしまうだろう。

裏の支配者層は、このような状況に誘導することを途方もないほど長い年月をかけて行ってきた。それは未《いま》だに進行中であり、これからも進んでいくのだ。

確実に到来する不老不死の世界

では、どのように仮想現実の世界に人類を移行させるのか。

まずその第一歩は、すでに第4章でも触れたように、人工知能を搭載したチップを脳に埋め込むこと。それによって、自分の思考をコンピュータにアップロードするのだ。

そして人間の意識、行動パターン、そうした脳が担っていたことすべてがデータとしてコピーされ、そのパターンに則《のっと》って、コンピュータ上で生きつづける。仮想現実の世界は、人工知能とのトランスヒューマニズムが実現された世界である。

こうなれば、もはや肉体は必要ない。ここで思い出してほしい話がある。第4章で紹介した堆肥葬だ。人間の遺体を堆肥として利用する考え方が浸透すれば、自分の肉体に対しての考え方、概念も変わってくるだろう。**仮想現実の世界に移行した際に、使われなくなる肉体は、環境保全にも使われるかもしれない。**森林を保持するために、土壌に養分として埋められるのだ。

裏の支配者層には、そもそも「地球を滅ぼそう」という意思はない。地球を滅ぼしてしまえば、自分たちも地球にいられなくなってしまうからだ。

彼らにあるのは「資源を独占したい」という考えだ。だから、自分たち以外の人類が仮想現実の世界に移行すれば、資源の消費を抑えることもできるし、地球環境もよくなる。暮らしやすい地球を作るべく、ほかの人類は緑豊かな地球のための肥料になるのだ。


また、肉体はコンピュータを動かすためのエネルギーに使われることにもなるだろう。だが、その場合も利用される側に抵抗はないはずだ。なぜなら、肉体は仮想現実の世界には必要ないものであり、逆にその世界を維持するためには必要だからである。

肉体を持たなくなるその世界では、もちろん老化することもない。不老不死だ。しかも精神体なので、仮想現実の世界での外見もいわゆるアバターのように自分の好きに着飾ることができる。精神だけになるので、好きな場所にも一瞬で移動ができる。

まるでユートピアのような、いいことずくめでしかないように思えるだろう。

それでも、何か違和感を覚えないだろうか？　お気づきの方もいるだろう。仮想現実の世界にアップロードされる精神は、あくまで〝データ〟であり、〝コピー〟でしかないのだ。**仮想現実の世界で生きる人類は、元の人間が持っていた行動パターンに従って動くだけのアルゴリズムでしかない**――魂は技術でアップロードできないのだ。だから、元の人間自身は〝死んでいる〟ことにもなる。

愕然《がくぜん》とさせられる話だが、それこそが裏の支配者層にとっては好都合なのかもしれない。魂がなく、ただのデータであれば、管理は容易になる。

しかも、人類は次元上昇もしなくなるだろう。いや、ひょっとすると彼らには〝意識と魂が別のもの〟という概念すら、はじめからないのかもしれない。

迫る火星移住計画、決まりつつある移住の条件

なぜ、火星は荒野だと思われているのか？

未来の人類にとって、仮想現実の世界とは異なる、もうひとつの〝移住先〟がある。それが火星だ。人類のDNAに刻まれた帰巣本能から目指すべき場所でもあり、イルミナティの陰謀がその背後にあることは、前章で触れた。では、それがどのような陰謀なのか？　順を追って説明をしよう。

まず火星は、NASAをはじめ各国が送り込んだ探査機が撮影した画像などでも知られているように「荒涼とした不毛の大地」というイメージがあるだろう。**なぜこの**

ような大地になってしまったのかといえば、かつて火星でも、アヌンナキたちの核戦争があったからであると読み解ける。火星にもニビルと地球の中継地として、都市が築かれていたのだろう。それが核戦争で壊滅してしまい、その名残が今見られる光景なのだ（第1章で触れたアヌンナキの遺構もある）。

しかし、真実の光景は、まったく異なっているかもしれない。やや怪しく疑わしい話という前提ではあるが、２０１４年に火星の現状を暴露した人物がいる。元アメリカの海兵隊員キャプテン・カイだ。

彼は17歳のときにアメリカの海兵隊に入隊したが、その後、極秘のセクションからの要請により多国間で構成された「地球防衛軍」に派遣された。やがて巨大な宇宙戦艦に搭乗すると、防衛軍の戦闘員としての訓練を受け、火星の防衛隊に配属。17年間、火星で暮らしていたというのだ。

そしてカイによれば、火星地表には大気があり、気候は温暖で過ごしやすいという。また、クレーター内には地球人のコロニーがあり、彼の任務はこのコロニーを守ることだった。彼はいったい何からコロニーを守っていたというのか……。そう、それは〝火星人の侵略〟からである！　というのも、**火星には爬《は》虫類《ちゅうるい》種族と昆虫類種族の2**

種の火星人がいるのだ。

火星人たちは、もともとは地球防衛軍と友好的な関係を築いていた。しかし、地球防衛軍は火星人が聖地として崇《あが》めている洞窟から、〝聖遺物〟を奪取しようとして失敗。これが原因で火星人との戦闘になり、１０００人を超える軍人が死亡し、カイを含む28人しか生き残らなかったという。

もしこの話が事実ならば、火星は生物が暮らせる環境であり火星人が存在し、今も少なくとも文明があることになる。

だが、シン・人類史ではこれをあくまで都市伝説として捉えている。あり得ない話ではないし、火星人は今もいるかもしれないが、やはり火星が荒廃していることは間違いないと思うのだ。だからこそ、イルミナティはアヌンナキから火星の再建を託されており、そのための働き手として、人類を火星に送り込もうとしているのだ。

火星に移住できるのは女性だけ？

では、どのような人が火星へ移住する資格を得るのだろうか。諸説あるが、その第一陣は〝女性〟だけかもしれないといわれている。イギリスの新聞『ガーディアン』によると、**火星の植民地化に必要なのは〝女性と精子〟だけでいい**というのだ。

冷凍保存された精子は無重力下でも状態が変わらず、宇宙にも安全に運ぶことが可能だ。また、イギリス人初の宇宙飛行士ヘレン・シャーマン[*03]によれば、宇宙船の同乗者は同性同士のほうが団結力を増すのだという。

さらに、火星に運ぶ精子は、健康で優秀な男性から採取されたものにする。そうすれば、火星で人工授精などを介して誕生する火星ベビーは、みな、健康で優秀になる可能性が高い。火星再建の担い手として活躍が期待できるというわけだ。

*03
ヘレン・シャーマンは「地球外生命体は間違いなく存在する」と断言している。その存在は、人間のように物質的な肉体を伴っていないだけで、すでに地球にいて、人間には見えていないだけかもしれないとも考えているようだ。

では、火星に移住するのが女性だけにせよ、あるいはやはり男性も参加するにせよ、その〝行ける・行けない〟の選別はどのようにして行われるのだろう。それもまた、人工知能が判定するはずだ。われわれの個人情報は、スマートフォンやインターネットなどから筒抜けになっている。このデータからその人物の信用度などが測られることは、すでに述べた通りだ。ここでも、それが使われるのである。

荒野の火星で暮らすための装置としてのピラミッド

火星への移住に関して、最も大きな障害となるのが〝環境〟だ。キャプテン・カイの発言――「火星地表には大気があり、気候は温暖で過ごしやすい」というのが本当であれば、何も問題はない。だが、火星は生命が存在できる環境にはないというのが表向きの話である。

そのため、移住に当たっては、火星に存在する氷を溶かして海と濃厚な大気を作り出す方法が提案されている。ただ、**さまざまな研究者によって「大気を作ることはほ**

ぼ不可能」とも言われている。

一方で、「温室効果をもたらす素材を使って火星を覆えば可能である」という考えもある。果たして、環境づくりはできるのか、できないのか。

シン・人類史はこの問題にひとつの答えを用意している。

火星には、再建の切り札が残されているのだ。それが**火星ピラミッド**である。アヌンナキが地球に万が一の事態があったときに、そのバックアップとして残した、叡智《えいち》の秘められた、あの構造物だ。

地球のギザのピラミッドは、地球人類が滅亡したとしても、アヌンナキが文明を再建できるように残したものであり、そのバックアップが火星のピラミッドだ。

ならば、火星でその謎を解き明かせば、われわれが想像もできないような方法で火星の環境は再生し、人類が暮らすことができるようになるのかもしれない。また、その謎を解くために、優秀な火星ベビーの誕生が求められることに繋がるのである。

エピローグ

人類は目覚め、歴史は終わる

アインシュタインが見た人類の進歩と絶望

シン・人類史の最後に、読者に補足して伝えておきたいことを綴《つづ》ろうと思う。

現代物理学の父、アルベルト・アインシュタイン。相対性理論の提唱によりそれまでの常識を覆した、稀有《けう》な超天才である。そんなアインシュタインの写真で非常に有名なのが、舌を出しているものだ。これは、「おちゃらけて撮った、彼のユニークな性格を表している写真」といわれているが、真実は異なっている。

そう、この写真でアインシュタインは、天才すぎる頭脳ゆえに、文明の終着点、

人類の終わりを理論的にわかってしまったために「人間は愚かな生き物だ」というメッセージを込めて、舌を出したのである。

では、どのような終着点を彼は見たのか――。

人類は100年ごとに、〝革命〟ともいえる歴史的発明を手にしてきた。

18～19世紀には蒸気機関の発明で産業革命が起き、経済が飛躍的に発展した。

20世紀は核の発明で、人類は莫大《ばくだい》なエネルギーを手にした。

そして、**21世紀中に人類は反重力を**

「人間は愚かな生き物だ」。このメッセージを残すために、彼は舌を出した。

扱えるようになるのではないか。この技術により、人工的に〝ビッグバン〟を起こせるようになる。それも、小型の反重力装置によって、手のひらでビッグバンが起こせるのだ。

つまり、**自分だけの宇宙をつくることができ、そのなかの世界で好きなように暮らすことができる**（これこそが、何度も語ってきた仮想空間の実体なのか……）。そうなれば、人類はその世界にのめり込んでいき、地球には何も残らない。こうして人類は終わるのだ。

これこそが、アインシュタインが理論的に行き着き垣間《かいま》見た世界なのだ。だからこそ、呆《あき》れて舌を出し警告を発していたのだ。

ところで、「第3次世界大戦で核兵器が使われて人類は滅びる」という話がある。そしてアインシュタインは、かつて「第2次世界大戦では原子爆弾が兵器として使われたが、第3次世界大戦があればどのような兵器が使われるか？」との問いに、こう答えたという――**「それはわからないが、第4次世界大戦ならわかる。石と棍《こん》棒《ぼう》でしょう」**と。

人類は第3次世界大戦で文明を壊滅させてしまい、その後は世界規模の戦争が起きたところで、武器らしい武器、兵器らしい兵器が地球上に存在しなくなっている。アインシュタインは皮肉を込めて、第4次世界大戦が起きる世界を予言したのだ。

それでは、文明を崩壊させるほどの戦争の際、いったい何が地球上で起こるのか。やはり核なのか？

これについては核ではないと考える。なぜなら核は現在、小型化が進んでおり、仮に第3次世界大戦が起きたとしても、核を用いた戦いは小規模・局地的に行われるのではないかと考えられるからだ。

つまり、このままいけば世界大戦が起きたとしても、それが直接の原因となって人類が滅びる可能性は低いのだ。

こうして、「第6の滅亡」が人類にもたらされる

人類の滅亡に関しては、現実に起こり得る確度の高い説がある。

実は地球では38億年前に生命が誕生してから、5度にわたる〝大量絶滅〟が起きている。それは、火山の噴火や氷河期、隕石《いんせき》の衝突（恐竜時代の終焉《しゅうえん》）、大洪水などでもたらされ、その都度、動植物や微生物の70〜90％が絶えたという。そして**現在、人類には「第6の滅亡」が迫っている**という。

第6の滅亡を引き起こす要因は何なのか。複数のシナリオが考えられる。

ひとつは、ウイルスもしくは細菌によるもの。それは南極の氷が解け出し、解放された未知のウイルスかもしれない。

人類誕生前に何度も起きていた火山の噴火の可能性もある。

また近年、生物のオスのみが持つY染色体にエラーが起こり、オスが消えるという話もある（とはいえ、現在では人工授精も可能であるから、絶滅という意味では可能性は低い）。

外的な要因としては巨大隕石の衝突もあるだろう。地球に衝突する確率が高い隕石だけで、1万以上あるともいわれているのだ。

こうして、世界中でさまざまな憶測がなされているが、どれも第6の滅亡の真の内容を表してはいない。これらは、人為的にコントロールできない原因だからだ。

支配者層の計画によって、現時点で確実視される第6の滅亡のシナリオ。**それは、仮想現実の世界に人類が移住することだろう。**

仮想現実で世界が補完されれば、地球上から今の肉体を持った人類、生命は必要なくなる。それこそが真の意味での滅亡なのではないだろうか。

しょせんこの世は思い込み

大量絶滅の候補でもあり、これから到来するであろう、仮想現実の世界。

これを遠い未来の話だと思うだろうか。

しかし、すでに〝現実のもの〟となっている可能性をわれわれは否定できないのだ！

一例を挙げよう。今、目の前にペットの犬の写真があるとする。その写真を見た多くの人は、無条件に「この犬はどこかで生きている」と思うだろう。

だが実際には、その犬は3年前に死んでいる。「死んでいる」という情報を与えられなければ、見た人のなかでは〝生きている〟のだ。

結局は、思い込みなのである。そして**この世界すらも、実はただの思い込みなのかもしれない。**


この考え方を「シミュレーション仮説」という。

もうひとつ有名な例を挙げよう。

「シュレーディンガーの猫」という話を聞いたことがあるだろうか。箱の中に閉じ込められた猫がいる。箱の中に毒ガスを注入する。さて、箱の中の猫は生きているか、死んでいるか。「生きている」という答えもあるし、「死んでいる」という答えもあるだろう。

結局のところ、猫の生死は箱を開けるまでわからない。問われた時点では、その猫が生きている世界と死んでいる世界が、人の意識によって分かれるのだ。目に見えていない世界のことは、人間にはわからないからだ。

それはこの世界自体も同様である。

認識していないだけ、気がついていないだけで、すでにこの世界は仮想世界に移行しているのかもしれない。

あなたが本書を読んでいると認識している現在も、大量絶滅後の世界なのかもしれないのだ。

そして……。

本書で語ってきた、歴史の陰に隠された「真実の種」の数々。

それすらも、読んでいるあなたが、そこに文字が書かれていると〝思い込んでいるだけ〟なのかもしれない。

――本を閉じた瞬間、そこには実は何も書かれておらず、この世界すらも存在しないのかもしれないのだ……。

シン・人《じん》類《るい》史《し》

Shin Human history
by Umaduravideo

2021年4月5日　初版発行
2021年4月20日　第3刷発行

著　者　ウマヅラビデオ
発行人　植木宣隆
発行所　株式会社 サンマーク出版　東京都新宿区高田馬場2－16－11
（電）03－5272－3166
印　刷　三松堂株式会社
製　本　株式会社村上製本所

ISBN978-4-7631-3878-1　C0030
ホームページ　https://www.sunmark.co.jp

ウマヅラビデオ

都市伝説YouTuber。２０１１年にウマヅラがチャンネルを立ち上げ、後にべーこん、否メンディーが加入し、３人組となる。都市伝説や陰謀論、怖い話などを主に取り上げ、２０１９年12月には登録者数１００万人を達成。２０２１年３月時点で、登録者数１２６万人、総視聴回数７億回を突破しており、次世代の都市伝説ストーリーテラーとして注目を集めている。『ビートたけしの知らないニュース超常現象Ｘファイル SＰ』（テレビ朝日）出演など、活躍の場を広げている。
YouTubeチャンネル：https://www.youtube.com/user/UMADURAVIDEO